SUBVERSIONS VOL. II

Bloc des auteur-e-s anarchistes
Anarchist Writers Bloc

SUBVERSIONS VOL. II

Nouvelles anarchistes
Anarchist short stories
Novelle Anarchiche
par/by

Bloc des auteur-e-s anarchistes
Anarchist Writers Bloc

Montréal

Anarchist Writers Bloc, a/s L'Insoumise,
2033, boul St-Laurent, Montréal, Québec, Canada H2X 2T3

Email: awb@daemonflower.com
Website: awb.daemonflower.com

Cover design by Rita Parker
Inside design by Myriam Larouche Tremblay
Revision: Virginie Gendron-Blais

Catalogue # BAA/AWB 002
Distributed in Canada by the Anarchist Writers Bloc
Distributed in the USA & Europe by AK Press

Dépôt légal : 2e trimestre 2012
Bibliothèque et Archives Canada
Library and Archives Canada cataloguing in publication
Bloc des auteur-e-s anarchists / Anarchist Writers Bloc
SUBVERSIONS VOL. II
ISBN : 978-2-9805763-3-1

Printed in Canada by Marquis Imprimeur on 100% recycled paper.

Contents

Remerciements

Acknowledgements

Le Bloc des auteur-e-s anarchistes voudrait remercier :

Le DIRA (bibliothèque anarchiste de Montréal), L'Agitée, la Casa del Popolo, le Salon du livre anarchiste de Montréal, Marge Piercy, Raoul Vaneigem, Geert Carpels, Virginie Gendron-Blais, Rita Parker, Die Sashiko, Vanni Santoni, Collettivomensa, La Cité Libreriacafé di Firenze, tous ceux et toutes celles qui ont envoyé un texte, ceux et celles qui nous ont aidé-e-s dans le travail de sélection et d'édition ; aux musiciens et musiciennes, aux artistes, aux poètes, aux chanteurs et chanteuses, aux acteurs et actrices ; tous ceux et toutes celles qui ont participé et assisté aux cabarets ainsi que toutes les personnes qui ont contribué de près ou de loin au projet.

The Anarchist Writers Bloc would like to thank:

The DIRA (Montreal's anarchist library), L'Agitée, the Casa del Popolo, the Montreal Anarchist Bookfair, Marge Piercy, Raoul Vaneigem, Geert Carpels, Virginie Gendron-Blais, Rita Parker, Die Sashiko, Vanni Santoni, Collettivomensa, La Cité Libreriacafé di Firenze, all the writers who submitted work; all the readers who helped us in the selection and editing process; all the musicians, artists, poets, singers, mimes, actors and audience members who contributed to our fundraising cabarets, and all the people who donated money, time and love to this DIY project.

Préface

Création contre prédation

Obnubilé-e-s par la lutte contre le capitalisme, beaucoup se sont réfugié-e-s dans un militantisme combatif qui, de la lutte armée à l'imprécation, a moins contribué à la défaite du système d'exploitation que les contradictions internes du capitalisme, induit aujourd'hui à se détruire en entraînant le monde dans sa faillite programmée. Ceux et celles qui combattent la barbarie avec les armes de la barbarie ne font que prolonger le règne de l'inhumanité. Nous avons trop longtemps négligé de jeter les bases d'une société véritablement humaine. Non pas une société humaniste. L'humanisme n'est que l'emballage attractif de la marchandise. L'homme en tant que valeur marchande n'est pas l'être humain mais sa négation. L'être humain n'est pas l'homme abstrait. Ce qui atteste sa présence en chacun-e, c'est la volonté, autonome et solidaire, de construire sa destinée en recréant le monde. C'est cela la poésie.

Ne voyons-nous pas à quel point l'imagination créatrice s'est asséchée dans le lit de la résignation hargneuse ? Quel renoncement et quelle abdication dans ces manifestations de masse où chacun-e crie sa colère avant de rentrer au foyer et d'enfiler ses pantoufles avec le sentiment du devoir accompli !

Maintenant plus que jamais, nous avons besoin d'imagination pour fonder une société véritablement humaine. Tandis qu'autour de nous les ruines s'accumulent, force nous est de comprendre que, pour bâtir un autre monde, nous ne devons compter que sur nous-mêmes. Le clientélisme politique a consacré la faillite des idéologies. Les impostures de l'émancipation nourrissent le désespoir des exploité-e-s. Le consumérisme et l'information médiatique propagent une servitude volontaire qui contribue plus que les forces répressives à consolider ces instances financières et mafieuses qui tirent leurs derniers profits de la mise à sac de la planète et d'un chaos social programmé où la lutte de tous contre tous se donnera libre cours.

Qu'allons nous mettre à la place de ces sociétés où l'État n'a plus qu'un rôle répressif et solde le bien public au profit des mafias bancaires ?

C'est à peine si l'on évoque l'expérience de la Commune de Paris, des collectivités libertaires d'Andalousie, de Catalogne, d'Aragon en 1936. Comment ferons-nous face à la dévaluation et à la disparition de l'argent ? Comment construirons-nous une forme d'autogestion où les citoyens et citoyennes - agissant au nom de la défense du bien public que les États dévastent au profit des puissances financières - assureront le fonctionnement de l'enseignement, des hôpitaux, des transports, des services sociaux, des industries prioritaires, de l'agriculture renaturée, des énergies renouvelables et gratuites ? Comment les expériences locales vont-elles se fédérer globalement pour jeter les bases d'une société qui, après des millénaires d'inhumanité, soit enfin humaine ?

Il n'y a pas de recettes pré-établies. C'est à nous d'innover et d'expérimenter. Dans la débâcle de l'avoir, seule la richesse de l'être nous permettra, en dépassant la survie et ses comportements prédateurs, de nous réapproprier cette vie qui est notre bien inaliénable.

La créativité sous toutes ses formes est aujourd'hui le gage le plus sûr de l'émancipation individuelle et collective. Pour qui découvre la vie irrépressible qui est en lui, tout commence aujourd'hui.

Raoul Vaneigem
Belgique, 2012

Preface

In the twentieth century, as the political ferment surrounding the Great Depression died down in the patriotic surge surrounding World War II, a heresy emerged in critical thinking about writing [and painting, for that matter]. It was widely legislated by critics and academics that writing that incorporated any push toward social change – writings in other words of the Left – was not to be considered serious work. Any such writings were mere polemics, as if all stories do not contain notions of what is good and what is bad for people; who are the heroes and who are the villains; who deserves to win and who to lose, and what are winning and losing, anyhow? Who is okay to make fun of and who should be revered? What is it okay to do in bed with whom and how? All stories contain such attitudes built into the writing if not overtly presented. When the values assumed in the writing are those of the established order, such works are not considered political. It is only when the values are counter to those with power that the work is dismissed as polemical.

But for thousands of years, most writers assumed that politics was part of life and had its place in literature. Blake, Shelley, Victor Hugo, Zola, Alexander Pope, Milton, Shakespeare, Wordsworth, Byron, Tolstoy – whether of the Right or the Left, all wrote with a consciousness of politics, because they were human beings, because they were members of society. Writers don't exist in a vacuum. We are creatures of our time and place, the class we were born into and/or identify with, the economic and social pressures that limit or expand the opportunities and the calamities we experience, what happens around us to our family and friends and partners as well as ourselves. We are each more or less aware of the forces that coerce us, that lie to us, that make us ashamed, that determine what we are trying to get for ourselves or others.

The stories in this anthology vary widely in artfulness but all are united by a desire to seek ways of improving the lives of ordinary people. Some are stories with well-drawn characters and lively action; others are essentially essays. All are attempts to find a way with words in more or less story form to deal with political problems that are real and pressing. They aim to make you think about what the society's leaders would prefer you forget. Those who rule want you persuaded that ways out of the quagmire, the walls that hem us in, are unimaginable. Here they are imagined.

It takes determination and courage to write what your training, education and the attitudes of those with power over you have insisted is without merit. It takes determination and courage and attention to craft to figure out how to do well what you have been told is not worth doing. All of us across the spectrum of the Left struggle with these issues and problems. Some people with strong politics attempt to keep them out of their writing and pride themselves on doing so. But others of us do not buy into the notion that writing that aims to change society is less valuable than writing that upholds its values and customs.

Here is a collection of stories by people who do not go along with what they have been told they should write and do. Each is trying hard to create a political vision that can move you to do something about what's wrong around you. This is an anthology of wake up calls.

Marge Piercy
Massachusetts, 2012

Introduction

Fondé lors de la onzième édition du Salon du livre anarchiste de Montréal en mai 2010 par une trentaine d'auteur-e-s venant d'un peu partout en Europe et en Amérique du Nord, le Bloc des auteur-e-s anarchistes s'est rapidement révélé être un collectif pluriel, solidaire et audacieux dont vous avez entre les mains les fruits de la persévérance.

Cette pluralité de notre collectif s'est réalisée par son enracinement dans les pratiques de démocratie directe où tous et toutes ont voix au chapitre et, rassemblant en son sein de nombreuses tendances, tient à une complémentarité de nos visions de manière égalitaire, la hiérarchisation étant scrupuleusement évitée. Au cours de ses deux années d'existence, le Bloc a ainsi pu instiller en son sein une dynamique inclusive et énergique, touchant un peu au passage à cet idéal que ses auteur-e-s tentent de dévoiler et d'inspirer à travers leurs oeuvres. Puisque l'union (libre) fait la force, et dans un souci de solidarité, notre collectif a fait le choix de privilégier la bibliothèque anarchiste DIRA comme emplacement de ses cabarets et, bien sûr, de participer annuellement au Festival international de théâtre anarchiste de Montréal (FITAM) et au Salon du livre anarchiste. Cette participation active à ces événements incontournables nous a conforté-e-s dans l'idée qu'il était possible de rassembler dans un même collectif, tout spécialement dédié au domaine de la création comme outil émancipateur des consciences, diver-e-s auteur-e-s se réclamant de l'anarchisme. Pardessus tout, l'année 2011-2012 du Bloc aura indubitablement été passée sous le signe de l'audace : un recueil plus volumineux (trilingue de surcroît) ; cinq cabarets populeux, dont les contributions pourront d'ailleurs paraître dans la deuxième édition de notre zine créé spécialement à cet effet ; quelques ateliers littéraires ainsi que la présentation, par quelques un-e-s de nos auteur-e-s, d'une pièce au FITAM.

En outre, notre collectif, rejetant le clivage linguistique auquel nous ont malheureusement habitué-e-s les nationalismes québécois et canado-britannique, s'est fondé sur une base affinitaire bilingue, ce qui nous a permis de regrouper tant des auteur-e-s francophones qu'anglophones, en plus d'inviter dans les pages de cette présente édition des compagnons et compagnes italophones. *Subversions*, un projet « transnational », a la vocation de procurer l'opportunité à des écrivain-e-s, émergent-e-s ou non, d'écrire sous la forme littéraire de la nouvelle, ajoutant à la fiction une profondeur contestataire et combative, et de rallier des milieux militants autrement difficilement accessibles, enclavé-e-s que nous sommes tous et toutes derrière toutes sortes de frontières.

Formé d'auteur-e-s aussi différent-e-s que le sont les horizons de l'anarchisme, le Bloc s'est résolument ancré dans la lutte artistique comme vecteur de lutte sociale dans un nouveau front d'une guerre qui nous oppose à l'oppression sous toutes ses formes. Car le domaine culturel est un champ où se réalise la convergence de nos combats ; la fusion de nos identités d'auteur-e-s et d'anarchistes. C'est dans la diégèse que nous créons que transparaissent nos espoirs et notre rage. Toujours sans illusions.

Nous tirons fierté de notre démarche jusqu'ici, et de l'écho qu'il a eu chez les libertaires d'ici comme d'ailleurs. Nous vous préparons une prochaine année encore plus subversive, pour que leur monde s'écroule et que le nôtre voie le jour.

Le Bloc des auteur-e-s anarchistes
Montréal, 2012

Introduction

The Anarchist Writers Bloc (AWB), pun intended, is a core group of a dozen mostly Montreal-based anarchist writers (with others in Toronto and Marseille) active in our diverse anarchist communities, with contributions from writers worldwide. Our goal is to promote anarchist theory and action through works of literature, poetry, theatre, screenwriting, etc. We collaborate on special projects such as anthologies, a fanzine called *Ex-pressions,* writing and literary workshops, and regular rowdy and drunken nights of anarchist cabaret, where music, theatre, comedy, song and poetry rule.

Montreal has, by and large, a vibrant and diverse anarchist community. Anarchist groups have been numerous and deeply rooted in the city since the late 1970s, and the milieu has been growing ever since. In May, a month-long Festival of Anarchy features a plethora of events, among which is the famous Montreal Anarchist Bookfair – one of, if not the largest in North America. There is also the Montreal International Anarchist Theatre Festival – the largest and only one in the world – which hosts local acts and troupes from abroad every year. There are dozens of anarchist collectives, a permanent bookstore and a library. Our community is vibrant, so much in fact that last summer, we had the honor of seeing the City create a special anti-anarchist police task force!

Through the raging success of the Anarchist Theatre Festival, a lot of people realized how exciting it is to mix fiction and anarchism. Some of us were just fed up with doing strictly rational stuff, others had been writing anarchist fiction for years, and many more were just contemplating the idea. But whatever the reason, none of us knew if anarchist fiction was anything more than a fringe habit from caffeine-ridden loners at the back end of cafés, their work doomed to stay in the closet and gather dust on the shelf. We knew explicitly anarchist fiction was pretty freaking rare, but at the same time, we'd pretty much all read novels like *1984*, *V for Vendetta* and *Brave New World* (among others), and they'd also inspired us to become anarchists. So, what then?

Of course, when there was a workshop on anarchist fiction in the 2010 Montreal Anarchist Bookfair and some 30 anarchist writers from North America and Europe showed up, we knew there was something more to it. A dozen people met up in the months afterwards: folk of all ages, English and French speaking, with different backgrounds and various tendencies on the anarchist spectrum. Some were hardened artists, some had never written fiction at all, and most didn't know each other, but everyone shared the desire to put something together – something big.

After forming the Anarchist Writers Bloc, we embarked on a crazy year of anarchist cabarets at the DIRA (our local anarchist library) to have fun, create and perform together, raise funds and spread the word. Hundreds of people came to share their songs, poems and other writings, with mimes, bands and wild stuff. In the meantime, we sent a worldwide callout for the first ever anarchist fiction anthology, and put the book together with contributions from some 20 authors around the globe, with half in French, half in English. In May 2011, we launched the first volume of *Subversions* in Vancouver, Montreal and Quebec City. The anthology was sent around the US, Europe and Canada, and pretty much sold out within a year.

The AWB core swelled up with new members in the summer of 2011, with nearly fifteen people actively involved. We performed another five cabarets, organized two workshops to discuss what anarchist fiction is anyway, raised money for local arrested comrades, and prepared the bigger, larger anthology which you now hold. To say we're somewhat satisfied with this collection would be a powerful understatement. We're actually giddy, shamelessly and unabashedly proud of this anthology – delirious, really, and with good reason. If this book is thicker than the first volume, with more and longer stories, our span and reach have also increased – a feat in itself – with submissions from authors in Italy, France, England, Ireland, New Zealand, the US, and from one end of Canada to the other. It's been a real labour of love, and it's quite a joy to share it with you.

This anthology is a journey through the imagination of anarchist thought and practice, in a world that is anything but free. Anarchism for us, in very broad terms, means a collective movement for individual liberation, against power and all forms of oppression and exploitation. We believe that anarchism offers as an alternative vision, a new society based on voluntary cooperation and free association, with a non-hierarchical social structure, without bosses, cops, priests or the domination of one person by another, without the power of the State, organized religion or capitalism. Thus, we desire to abolish all forms of alienation, power and domination. We fight for a free, green and egalitarian society, through direct action and direct democracy. As a movement and a political philosophy that values freedom above all, anarchism has always attracted artists, writers and creative rebel spirits. We invite and welcome all anarchist writers of fiction, and those non-anarchists who write it, to contact us and contribute to future volumes.

The Anarchist Writers Bloc
Montreal, 2012

Nouvelles anarchistes

Les thérapeutes
L'infiltré
La Belle et la Bête
Cogito Ergo Doleo
Apologie d'une fin du monde
Aux impulsions qui s'acharnent
Des marais de sens
Outsiders
L'après-demain

Les thérapeutes

Guillaume Bouchard Labonté

Il me prit l'envie soudaine de frotter. Je mis la main sur un vieux chiffon que j'avais glissé sous mes vêtements : j'étais parvenu à le subtiliser à la cuisine et les gardiens n'avaient pas procédé à une fouille complète sur moi depuis plusieurs jours. De toute façon, je n'aurais jamais accepté qu'on me le reprenne. C'était pour moi comme un joyau ; la nuit, enfin isolé dans ma cellule, quand les lumières s'éteignaient, je le sortais de sa cachette et je le caressais doucement.

Avec cérémonie, je dépliai donc le bout de tissu nettoyé à la perfection. Seule une petite tache rosâtre résistait encore. Mais il fallait bien m'en contenter. Je jetai subitement un coup d'oeil autour, toujours aux aguets. Pas un bruit. Uniquement le bourdonnement habituel des murs dont la surface vacillait en ondes de basses fréquences. J'étais seul. Dans un soupir de ravissement et de jouissance, je nettoyai donc le rebord d'une fenêtre. Mon mouvement, large et généreux, était calculé comme une chorégraphie. Quelques amas de poussière se fixèrent au tissu. Ensuite, je me penchai et scrutai la surface blanche fraîchement époussetée. Il restait encore un dépôt très fin dans un coin presque inaccessible. Je frottai avec plus d'insistance. Voilà : parti.

Anxieux d'avoir peut-être été repéré, je me dirigeai vers la salle d'eau sans pouvoir m'empêcher de me retourner sans cesse pour regarder derrière moi. À chaque fois que je baissais ma garde, un nouveau bruit venait éveiller ma vigilance. Même l'écho de mes propres pas m'intimidait.

Alors que je traversais le hall (je n'utilise jamais les bains du vingt-huitième, ils sont insalubres - je préfère les salles d'eau qui sont à proximité des entrées, car c'est celles qui sont généralement utilisées par les visiteurs et dignitaires), j'entendis à nouveau des bruits de pas. Cette fois-là, pas de doute, ce n'était pas un écho. Je craignais avant tout de paraître suspect. M'esquiver trop vite aurait éveillé des soupçons sur mon comportement. Malgré tout, il me vint l'envie irrépressible de me dérober à tout regard. Je me dissimulai donc dans un coin de pénombre, derrière une des statues qui se dressent dans cette grande pièce qui fait encore la fierté du directeur. Si on m'avait alors interpellé, j'aurais toujours pu dire que j'étais là par hasard.

Mais les pas n'étaient pas ceux des gardiens. Ce furent trois gaillards qui débouchèrent d'un couloir. Je crus les reconnaître. L'un d'eux était de l'aile des bipolaires, l'autre était TDAH. Le troisième, je n'en étais pas certain. Mais à voir comment ses yeux roulaient et se posaient nerveusement sur les tableaux, j'ai pensé qu'il était anankastique. Je sais que ça peut paraître insensé, mais c'est un trait commun que j'ai attribué aux anankastiques à force de les observer. Ils roulent des yeux. Enfin. Je ne sais pas. Ce qui est certain, c'est que ce mot revenait sans cesse dans ma tête, comme un yo-yo. Anankastique. Anankastique. Anankastique.

Le premier suggéra à l'anankastique de monter la garde. Les mains dans les poches et appuyé à un mur, il assuma plutôt mollement son rôle de guetteur. Les deux autres s'approchèrent avec assurance d'un des bronzes. J'essayai de me dissimuler mieux derrière le buste du Dr Pinel. L'expression crispée des deux gaillards, qui s'apprêtaient assurément à commettre un mauvais coup, n'avait pas l'air rassurante.

Le TDAH et le bipolaire s'élancèrent vers l'avant. La statue vacilla un peu, mais elle était trop bien fixée à son socle. Les deux hommes s'y reprirent à trois fois avant de parvenir enfin à la faire basculer. Le fracas du bronze sur les dalles de granit me fit sursauter. Ce vacarme n'approchait rien de commun. Il est vrai que les patients les plus atteints ne se gênent parfois pas pour gueuler, mais autrement, l'Institut maintient sa politique de silence. Le bruit affecte les personnalités troublées. C'est ce qu'en disent les superviseurs.

Le choc entre la tête en bronze du Dr Mauras et le plancher dallé fut tout simplement au-delà de ma zone de tolérance. Ce fut comme le tintement d'une énorme cymbale creuse. J'osai malgré tout prendre connaissance des dégâts. Je passai la tête hors de ma cachette. Le cou de la statue avait été tordu sous la force de l'impact. Son visage était tourné vers moi. Je ne sais pas par quelle loi de la physique une telle déformation dans le bronze fut rendue possible.

Il me semble aussi que le Dr Mauras choisit ce moment inopportun pour remuer légèrement ses lèvres de métal. Ce qui m'apparaît maintenant improbable puisque son cou était définitivement cassé.

- F05.9 : *Delirium, sans précision.*

Les trois vandales ne firent pas grand cas de ce débitage de jargon.

- Ok, on s'en va ! À moins que vous teniez à vous faire transférer, avait dit l'un d'eux sans se soucier de couper la parole au thérapeute, qui continuait de réciter la cent-quatorzième édition de la *Classification internationale des maladies*.

- Bof, fit l'anankastique.

Sur ce, par une lâcheté qui me sidère encore aujourd'hui, ils prirent la fuite, leurs chaussettes glissant sur le granit poli. Moi, je m'approchai plutôt de la statue déchue. Un lustre gras et huileux faisait briller sa tempe gauche. Je m'accroupis et dépliai à nouveau mon chiffon.

Il ne fallut que quelques dizaines de secondes avant que les gardiens n'arrivent. Leurs pas à eux claquaient sur le plancher : ils avaient le droit de porter des bottes. Privilège rare. Je les avais entendu venir mais il m'était impossible d'arrêter de frotter. Le sentiment d'urgence m'avait certes atteint, mais l'appel de la tache de graisse était plus fort. On fait parfois des choses idiotes qui vont complètement dans un sens contraire à nos intérêts, juste pour tromper l'ennui. Dans ce cas-ci, c'était autre chose : une irrésistible impulsion. Je continuais de frotter, tout en me promettant que j'irais me cacher au dernier moment.

Les deux gardiens étaient à un mètre de la statue quand j'arrivai à m'en arracher. Bien entendu, il était trop tard. Je décidai de ne pas me défendre quand on passa des sangles autour de ma poitrine et de mes poignets. Les gardiens, deux colosses aux mains gigantesques, me soulevèrent du sol nonchalamment. Le Dr Mauras tourna la tête vers nous en lançant des objections. Les deux hommes l'ignorèrent parfaitement et, après un interrogatoire bref pendant lequel j'avouai tout, ils me conduisirent dans la chambre d'isolement A-6060. Le sol et les murs étaient rembourrés. Je ne sais pas si c'était pour empêcher les patients de se blesser eux-mêmes ou pour étouffer la résonnance de leurs hurlements.

Je pris une position presque confortable, adossé au mur. Puis je m'effondrai, rattrapé par le désespoir.

- Crisse.

Les murs rembourrés avaient donné à ma voix un accent feutré. La lumière, aveuglante lors de mon arrivée, déclinait doucement. Peu après, la chambre était envahie d'une obscurité et d'un silence des profondeurs. Ce n'était pas la première fois qu'on m'envoyait dans une pièce comme celle-ci. Le plus souvent, on y enfermait les patients « par prévention ». Prévention de quoi, j'en sais rien. La direction était souvent victime d'accès d'inquiétude inexplicables. Inexplicables, du moins, à la faune de l'Institut. Car les autorités devaient avoir leurs raisons.

Je crois m'être endormi quelques heures plus tard, sans pouvoir cesser de ruminer sur le sort qui m'attendrait en matinée. Réhabilitation punitive ? Thérapie privée ? Médicaments ? Électrochocs ? Les possibilités étaient diverses. Si j'avais eu à appréhender un seul type de châtiment, je n'aurais sans doute ressenti que peu de frayeur. C'était l'incertitude et la multiplicité qui me terrorisaient. La menace gagne en pouvoir quand elle sait rester imprévisible.

Mes rêves furent désagréables à un tel point que je me permettrai de ne pas les évoquer ici. Mon réveil fut lui aussi des plus brutaux : sans dire un mot, les deux mêmes gardes que la veille ouvrirent la porte brusquement après avoir rallumé les néons au blanc laiteux et violent. Ils me balancèrent peu après dans le cube de consultation A-4560. Un médecin aux mains tremblantes et au regard fuyant m'y attendait. Il m'aborda sans détour.

- Les gardiens croient que vous avez jeté la statue par terre pour pouvoir nettoyer une tache de graisse avec un chiffon que vous avez volé aux cuisines.

Le médecin révisa son rapport d'un air sceptique.

- Mais j'y crois pas.

C'était évident. Je me sentis plus libre de respirer. Il avait dû croire ma version à moi, telle que rapportée. Le médecin continua après avoir croisé ses doigts sur son genou.

- Je pense plutôt que vous complotez de votre bord, avec quelques autres patients. Vous voulez renverser le bon ordre dans notre institution. Ou bien m'atteindre moi avec un nouvel attentat.

Le soulagement fit soudainement place à une terreur sourde. Le cube semblait refermer doucement ses parois sur moi, m'obligeant à partager l'air du médecin, dont le souffle chuintait de plus en plus férocement.

- De plus, votre description de l'anankastique n'est pas crédible. Pourquoi les anankastiques rouleraient-il plus les yeux que les autres patients ?

Je ne répondis rien. Je me contentai de fixer un chaton de poussière oublié dans un coin de la pièce en essayant de me concentrer sur ma respiration afin de faire face à l'environnement claustrophobe. L'autre continua après avoir observé quelques secondes de silence.

- Mes collègues et moi, nous sommes convaincus que vous êtes trop dangereux. Nous allons devoir avoir recours à des mesures d'exception.

Les parois du cube se rapprochèrent à un point où elles purent enserrer ma gorge. Des mesures d'exception ? répétai-je, terrorisé. Plusieurs patients tout à fait paisibles avaient disparu au cours des derniers mois ; quand on avait demandé aux gardiens ce qu'il était advenu d'eux, on nous avait répondu en utilisant cette expression. Sûrement, on me ferait subir tous les traitements redoutés : lobotomie, électrochocs, isolement total à vie. La lente dissolution de l'esprit dans un caisson de trois mètres sur trois mètres. Trois visites par jour : une injection de nutriments, deux de drogue. L'appréhension provoqua chez moi une montée de sentiments contradictoires : la panique de l'animal en danger. Ou simplement la résurgence d'un comportement instable. Tout d'abord étouffé, je m'arrachai à l'emprise des murs, j'écartai brutalement la table qui nous séparait et je me jetai sur le médecin. Il perdit l'équilibre et s'écrasa sur le sol. Les chaises se renversèrent.

- Je le savais ! s'écria le psychiatre. C'est à moi que vous en voulez ! Tout le monde veut me tuer !

Puis, mes mains trouvèrent sa gorge. Les parois du cube s'étaient déformées à nouveau. Elles s'étiraient maintenant vers l'extérieur en claquant comme des voiles tendues par le vent. Quatre gardiens, attirés par le bruit, firent irruption dans la petite salle.

***

Je ne me réveillai totalement que deux jours plus tard. Mais pour moi, la transition avait paru durer quelques secondes à peine. Le chahut des gardiens me battant à coups de bottes, ma position recroquevillée, ma respiration haletante, les seringues, le cube qui se refermait sur moi et dont les murs devenus liquides noyaient mes poumons... J'étais encore envahi par ces souvenirs quand, assis dans une chaise et totalement confus, je finis par reprendre contact avec la réalité. Une main avait tapoté timidement mon épaule. Je levai les yeux. Une infirmière portant l'uniforme vert de la caste des Asperger m'invita à me lever.

J'étais dans un couloir. À en juger par le luxe un peu vieillot, je devais être dans l'aile administrative. Je fus pris, un instant, d'anxiété. Je tâtai avec frénésie toutes les parties de mon corps. J'étais fraîchement rasé. Je portais mes vêtements habituels, ma combinaison grise. Puis, comble de l'étonnement : un chiffon, précautionneusement plié, était installé au fond de ma poche. J'aurais voulu poursuivre mon examen, mais l'Asperger s'impatientait.

- Vous êtes attendu, fit-elle en tapotant de nouveau mon épaule avec une sorte d'inconfort.

Tapoter les épaules avec réserve et d'un air pas très convaincu : typique des Asperger.

Chancelant, je me dirigeai vers la porte qu'on me désignait de la main. Elle était capitonnée. On l'ouvrit pour moi.

Un homme en habit se tenait debout dans cet imposant bureau à l'éclairage tamisé. Je voyais son visage imprécis se dessiner dans le reflet de la fenêtre. C'était le directeur. Il fixait un point inconnu et lointain. Puis son regard translucide croisa le mien. Il se retourna.

- Ah, vous voilà enfin, dit-il.

Il s'approcha pour me serrer la main. Son accueil était chaleureux. Je ne comprenais pas.

- Vous avez l'air confus.

Il fit la moue.

- La drogue doit encore faire effet. J'avais pourtant ordonné à ces imbéciles de cesser les injections à partir d'hier !

Je remarquai soudain que l'intérieur de mes coudes était bleui de piqûres. Ça m'avait échappé.

- Ça va, je suis conscient maintenant.

Oui, totalement conscient. J'avais pris connaissance de cet état extraordinaire au moment même où je l'énonçais. Tout était d'une clarté cristalline. Les murs scintillaient comme l'opale. Mais surtout, ils étaient purgés de leur vacillement continuel. L'homme en habit me tapota l'épaule. De manière confiante et sincère, cette fois-ci.

- Et vous ne savez pas à quel point, fit-il en riant. J'ai ordonné qu'on cesse TOUTE médication à votre égard.

Mon regard fit un nouveau tour de la pièce. Tout était d'une stabilité déconcertante.

- Je n'irai pas par quatre chemins, reprit le directeur, enthousiaste. J'ai renversé la décision des psychiatres qui vous ont condamné dans le cadre de « mesures exceptionnelles ». Je commençais à trouver leur jeu dangereux. Surtout lorsqu'ils ont commencé à s'attaquer aux miens.

Je compris à l'instant même.

- Vous êtes aussi obsessif compulsif ?

Le directeur sourit.

- Entre autres choses. Et je suis le seul de ma caste à être parvenu à un poste aussi élevé. Comme vous ne l'ignorez pas, tous les autres sont occupés par les paranoïaques. Depuis trois générations.

Son attention se reporta à nouveau vers la fenêtre. Dehors, le paysage monotone s'allongeait jusque sur la ligne d'horizon.

- J'ai décidé d'arrêter vos traitements parce que je sens qu'un lien indicible nous unit. J'ai de plus besoin d'un soutien large qui me permettra éventuellement de renverser l'ordre paranoïaque. Cette ambition me torture depuis toujours. Vous êtes un des premiers à qui j'en parle, parce que si votre acte de révolte était stupide, il n'en était pas moins cinglant et... délicieux. Vous avez de l'initiative.

Sans nier être à l'origine de l'acte de vandalisme commis sur les statues, je m'approchai de la fenêtre. La vue était tout de même impressionnante. Je reconnus l'Institut Leonov, de l'autre côté de la rue. Puis l'Institut Rancourt, un peu plus loin.

- Il arrivera un moment où un grand nombre de ces établissements seront dirigés par des gens de notre qualité, affirma le directeur.

D'un geste du bras, il embrassa les milliers d'hôpitaux psychiatriques, tous identiques, qui s'étendaient à perte de vue et dans toutes les directions.

L'infiltré

Isabelle Baez

Tout a commencé il y a environ deux ans. Je terminais ma maîtrise en graphisme. J'avais une blonde depuis plusieurs mois et une job à temps partiel dans une librairie. Martin, mon meilleur ami d'enfance, avait quitté la banlieue comme moi pour venir s'installer à Montréal. On partageait un 5½ à trois, Martin, ma blonde et moi, et je peux dire qu'on s'entendait bien, même si, financièrement, c'était limite.

Et puis, un soir, un gars avec lequel j'étudiais depuis le bac, Steve, est passé sous les roues d'un 4X4, alors qu'on revenait tous les deux à vélo d'un match de hockey cosom. Je roulais derrière lui et je l'ai vu disparaître sous le bolide qui a tourné à droite, nous coupant la route. Quand l'ambulance est arrivée, le cœur de Steve battait encore. Je suis resté à l'hôpital pendant deux jours, mais Steve ne s'est jamais réveillé.

Les nuits qui ont suivi l'accident, j'ai fait des cauchemars atroces, puis de l'insomnie. Un de mes oncles, médecin, m'a référé à un psy. Je suis allé à quelques séances, mais ça ne m'a pas empêché de m'enfoncer. Une chape de plomb m'était tombée juste en arrière de la tête et elle m'a fait piquer du nez comme jamais dans ma vie. Dans un premier temps, mon entourage m'a soutenu et puis, petit à petit, on a commencé à me fuir. Avec le recul, je me dis que dans le monde où on vit, on a le droit de rester sonné quelques jours, voire quelques semaines, mais à un moment donné, on a comme intérêt à se remettre sur les rails. Sinon, disons que le chef de gare s'arrange pour nous faire descendre du train. Et le chef de gare, en l'occurrence, ça a été ma blonde.

J'étais amoureux de cette fille-là, même si elle avait le don de me rendre fou. Elle avait grandi sur le Plateau. Ses parents artistes, compréhensifs et trop protecteurs, avaient fait de leur fille un ange sur pattes, un pur produit bio, altermondialiste, qui ne consommait que de l'équitable. Elle militait dans un groupe de défense des réfugiés et ne se laissait jamais abattre par les injustices qui lui sautaient au visage. Mais il faut croire que les difficultés, elle les préférait chez les autres, pas sous son toit.

Steve est mort fin septembre, Julie m'a lâché à la mi-décembre, juste avant Noël. Je m'en suis rendu compte une nuit où je n'arrivais pas à dormir et où je l'ai retrouvée dans la chambre de Martin. Sur le coup, j'ai éclaté de rire. Un réflexe. Cinq minutes après, j'étais tout à fait disposé à passer l'éponge, parce que je n'avais pas été un cadeau les semaines précédentes et qu'imaginer ma vie sans Julie équivalait à regarder la mort en face. Mais après une discussion assez vive commencée à deux et poursuivie à trois, j'ai compris que Martin et Julie n'en étaient pas à leur première nuit et qu'ils n'avaient aucune intention de se laisser.

Inutile de dire que le quotidien dans l'appart m'est rapidement devenu intolérable. Voir Martin m'éviter et les entendre baiser en sourdine m'a vite poussé dehors. Début janvier, j'emménageais dans un autre appart. Les semaines suivantes ont passé dans une sorte de paralysie gluante. Je me faisais mille reproches concernant Julie. J'ai dû lui envoyer une dizaine de courriels. Je lui demandais de me pardonner de m'être quelquefois moqué de son engagement envers les réfugiés, je lui disais qu'elle avait peut-être eu raison de me traiter de mononcle avec mon souverainisme à tout crin. C'était notre pierre d'achoppement. Elle voulait changer le Québec en profondeur, le rendre plus juste. Elle n'était pas contre la souveraineté, mais pas sans un réel projet de société, qu'elle me répétait toujours. Pour moi, le plus important, c'était qu'on se donne un pays, quels que soient les partenaires qui nous permettraient d'y arriver. Je continue à croire qu'on devra de toute façon en passer par là. Et puis, son projet de société, comment elle espère y arriver alors qu'elle ne vote même pas ? Moi, j'ai ma carte du Parti québécois depuis mes dix-huit ans.

Bref, Julie n'a jamais répondu à un seul de mes messages. J'avais du mal à croire que j'étais passé de la certitude d'avoir trouvé la femme de ma vie à un tel rejet. L'hiver a continué sans explications. J'avais frappé un mur et le reste du monde continuait à avancer. La preuve, le printemps est arrivé. On a annoncé que le G20 se tiendrait à Toronto. À l'université, des tracts circulaient, la contestation s'organisait sur le terrain et dans les médias sociaux. Mes deux nouveaux colocs, qui étaient impliqués dans l'association étudiante, prévoyaient y aller. Je les avais accompagnés à quelques manifestations pendant l'hiver. Charest était en train de piller le Québec et le Parti québécois était dans une mauvaise pente. Mes colocs ont réussi à me convaincre. Le voyage en autobus ne coûtait presque rien. Je ne savais plus quoi faire de moi, cette histoire de G20 est arrivée comme une planche de salut à laquelle je me suis accroché avec force. Je n'y allais pas pour la même raison que les autres, ma peau était en jeu.

En trois jours à Toronto, j'ai dû dormir cinq heures. Je marchais complètement halluciné dans les rues. Le désordre qui m'entourait correspondait à ce qui se passait en moi et me faisait un bien fou. Mes colocs ont été arrêtés alors qu'ils dormaient dans une sorte de dortoir où ils se sont tous fait prendre par la police. Pendant ce temps-là, j'étais en train d'arpenter les rues, encore plein de l'adrénaline du jour, la musique à fond dans mes écouteurs. Après la rafle, quand tout le monde a disparu de la circulation, je suis resté sur place à traîner au milieu des restes laissés par les altercations.

C'est donc le troisième jour que j'ai rencontré Jean-François, un Québécois. Je ne le connais que sous ce nom. C'était à la terrasse d'un petit restaurant du centre-ville. J'étais assis devant un café, plus un sou en poche pour me payer quoi que ce soit d'autre. Et puis ce grand mince était venu me demander si j'avais du feu. Il avait de la chance, avec ce que je vivais, j'avais recommencé à fumer.

Il devait avoir dans les 40 ans, les cheveux longs, l'air un peu *bum*. Comme il s'était de nouveau approché un peu plus tard pour m'emprunter mon briquet, je lui avais demandé s'il habitait Toronto. Il m'avait répondu que non, qu'il était venu couvrir les manifs comme photographe indépendant. Il repartait le soir même pour Montréal. De fil en aiguille, il m'avait proposé un lift.

J'étais dans un sale état durant le voyage de retour. Jean-François avait apporté de la bière et je n'ai pas tardé à déballer tout le lamentable de ma piètre existence. Il avait une très bonne écoute. En fait, il était doué pour orienter la conversation dans les directions qui l'intéressaient, je ne l'ai compris que plus tard. Sur le coup, je l'ai trouvé cool, brillant même. Et on s'est tout naturellement revus à Montréal. On parlait d'indépendance. Il avait les mêmes idées que moi sur le sujet. Il avait participé à l'organisation du camp du Oui au référendum de 1995 et était très au courant des magouilles qui nous avaient fait perdre. On nous avait volé notre pays, je n'avais pas besoin de le convaincre de la réalité de la chose. Mes colocs ne s'intéressaient pas vraiment à l'affaire ; j'avais enfin un interlocuteur. Jusqu'au jour où Jean-François a lâché le morceau : il connaissait un moyen pour m'aider à sortir de mon marasme. Il travaillait pour la SQ et il me proposait de m'infiltrer dans un groupe de militants de Montréal contre pas mal d'argent. Il m'a sorti ça alors qu'on jouait aux échecs dans un parc. J'ai figé une seconde, puis je lui ai balancé l'échiquier à la figure.

Je n'ai plus entendu parler de Jean-François pendant plusieurs jours. Je ne décolérais pas d'avoir pris ce gars-là pour un ami potentiel. Mais je n'en ai parlé à personne, j'avais peur des représailles. Puis j'ai reçu une lettre. Il y écrivait qu'il n'aurait jamais dû me proposer ça, qu'il sentait qu'il avait perdu un ami. Tu parles ! Une semaine plus tard, une nouvelle lettre est arrivée : il comprenait, il ne m'écrirait plus, mais il trouvait ça dommage parce que le groupe à infiltrer était celui de mon ex et qu'il s'y passait des choses pas très catholiques. Je ne sais pas ce qui m'a pris, mais je n'ai pas déchiré la lettre tout de suite, comme je l'avais fait pour la première. Deux jours plus tard, je reprenais contact avec Jean-François.

Je crois aujourd'hui que je voulais faire payer à Julie le peu de considération qu'elle avait eu pour moi. J'ai travaillé fort pendant l'automne, puis tout l'hiver, pour me faire une petite place dans son organisation. Je ne l'ai croisée qu'une seule fois, à une assemblée. Quant à mon travail, il consistait pour l'essentiel à me rapprocher de celui qui était considéré comme le meneur, Ethan. Très présent depuis le Sommet des Amériques, en 2001, il avait été arrêté plusieurs fois et avait la fâcheuse habitude de galvaniser les foules. Je devais le pousser, dès que possible, à commettre une faute grave, qu'on puisse, enfin, le maintenir à l'écart.

Les mois ont passé. L'infiltration avait en quelque sorte réussi. Je partageais à présent un appartement dans

Hochelaga avec Ethan et Claude, un militant plus âgé que nous. Je ne sais pas de quoi ils vivaient. Depuis son arrestation à Toronto, Ethan passait tout son temps à préparer sa défense. Il n'était pas prêt à plaider coupable à l'accusation de complot qui pesait sur lui et sur plusieurs autres. Il était trop occupé, je tombais mal. J'avais beau faire mon possible, essayer de démontrer dès qu'on m'en donnait l'occasion qu'il était temps de poser des gestes plus radicaux, de ne plus faire que se défendre, Ethan demeurait désespérément pacifique malgré ce qui lui était arrivé à Toronto. Je sentais que Jean-François et sa gang commençaient à perdre patience. Moi, je commençais à trouver Ethan sympathique. Même si je ne partageais pas toutes ses idées, je ne pouvais nier qu'il était cohérent. J'étais de moins en moins motivé à faire la job pour laquelle j'étais payé, d'autant plus que Julie avait déménagé à Vancouver avec Martin, où elle militait pour la même cause.

Finalement, après un an de ce manège, on m'a convoqué. Jean-François et deux hommes de la SQ m'ont dit que je n'avançais pas, que je leur coûtais beaucoup plus que je ne leur rapportais. Ils me reprochaient de ne leur livrer que de maigres informations suites aux assemblées générales, mais il ne s'y passait absolument rien. On y restait des heures à définir les objectifs de l'organisation et à élire des comités, puis des sous-comités qui se chargeaient de concocter des documents qui étaient ensuite distribués en assemblée et dont on pinaillait la moindre virgule.

Les agents de la SQ et moi avons eu plusieurs rencontres déprimantes. J'ai fini par leur dire que je préférais arrêter là, mais ils m'ont rappelé que je m'étais fait pas mal de cash. Pour qu'on soit quittes, je devais accepter une dernière mission. L'objectif était d'appréhender Ethan en possession d'une arme à feu pour réduire à néant sa réputation de pacifiste. Je devais trouver le moyen de glisser un révolver dans sa poche à la prochaine manifestation, afin que la police puisse le coincer. Ils m'ont donc donné une arme. Je n'en avais jamais tenue dans mes mains. À l'appartement, je l'ai cachée sous des lattes de plancher qui se soulèvent, au fond de mon garde-robe. Je n'étais vraiment pas tranquille. Une chance, la manifestation anticapitaliste du 14 décembre a été annoncée. Ethan ne pouvait pas la manquer, même s'il avait ordre de se tenir loin du grabuge.

Au début, tout s'est passé comme prévu. La tension est montée doucement dans les rangs des quelque deux cents manifestants qu'on était. On a emprunté la rue Saint-Hubert, puis le boulevard De Maisonneuve, avant de remonter vers la belle souricière que nous avait préparée, derrière le boulevard Saint-Laurent, l'escouade anti-émeute.

Quelques casseurs masqués ont commencé leur job de massacreurs de vitrines et, à la deuxième qui a sauté, les robocops sont arrivés du nord et de l'est. Je me tenais tout près d'Ethan. Personne ne devait l'arrêter avant que j'aie fait un signe clair : rabaisser ma cagoule sur mon visage. Je ne devais la rabattre qu'une fois l'arme transférée, mais dès le début de la manif, j'ai senti que je ne pourrais pas faire une chose pareille. Alors, quand l'intervention a commencé, je me suis encore rapproché d'Ethan, je lui ai mis une tape d'encouragement dans le dos et j'ai baissé ma cagoule. En moins d'une minute, les policiers ont surgi, mais plusieurs manifestants se sont interposés pour protéger Ethan, sachant très bien ce qu'il risquait s'il se faisait arrêter pour bris de conditions. Ça lui a laissé le temps de filer. Il s'est mis à courir vers l'ouest, les policiers derrière lui. J'en ai profité pour sortir de là moi aussi. J'ai pris à droite et je me suis retrouvé dans une ruelle derrière le boulevard. J'ai sauté par-dessus la clôture d'une cour. J'avais du mal à reprendre mon souffle. J'allais tenter de repartir quand j'ai vu à travers la clôture un fourgon de l'anti-émeute arriver dans la ruelle.

Des portières ont claqué, des hommes sont descendus.

J'étais couvert de sueur malgré le froid et je tremblais de tous mes membres, le dos collé au mur de la cour. Des policiers ont ouvert la porte arrière du fourgon et j'ai vu Ethan se faire traîner sur le sol par deux hommes casqués. Ils l'ont mis sur le ventre. Un des hommes a appuyé son genou sur le dos d'Ethan pendant que l'autre s'approchait et lui envoyait un coup de botte dans les côtes. Ethan a essayé de hurler mais son visage était écrasé sur l'asphalte, on n'entendait que des grognements sourds. Le policier lui a envoyé un deuxième coup, puis un troisième. C'était horrible, ils allaient le tuer. Je me suis hissé sur le bac à ordures qui se trouvait là. Sans réfléchir, j'ai sorti le revolver en tremblant et j'ai visé le gars qui mettait les coups de pied. Je ne sais pas comment j'ai fait mon compte, mais je l'ai touché à l'épaule. Il y a eu un grand silence et il est tombé. Après, je ne me souviens quasiment de rien. Je ne sais même plus dans quelle direction je suis parti, je me vois juste en train de sauter des clôtures, sans arrêt. Jusqu'au moment où j'ai perdu connaissance.

Voilà. On est le 15 décembre 2011, il est six heures du matin et je vous écris tout ça dans un cybercafé. Je m'appelle Sébastien Dubois, je suis né le 22 janvier 1984 à Saint-Bruno. J'espère que vous publierez ce courriel pour que tout le monde sache ce qui s'est passé hier. Je vous donne une heure pour me répondre. Je n'ai rien à perdre, je vous conseille donc de ne pas jouer au plus fin. Si vous décidez d'étouffer l'affaire, d'autres publieront l'histoire avant vous. À partir de maintenant, j'enverrai un courriel toutes les heures, à chaque quotidien, à chaque salle de nouvelles de Montréal. Premier arrivé, premier servi. J'attends votre réponse.

Sébastien Dubois

La Belle et la Bête

Karine Rosso

- C'est quoi maman ? Est-ce que c'est pour moi ?

Les yeux de Luna ne pouvaient se détacher du paquet entouré de rubans blancs. La fête était finie et les cadeaux avaient déjà été déballés depuis un bon moment. Tous les enfants étaient partis et il ne restait que des morceaux de gâteau épars dans des assiettes bleues, des ballons qui traînaient ici et là et une piñata éventrée qui gisait sur la terrasse du jardin.

- Oui, c'est ton dernier cadeau. Ta grand-mère voulait attendre la fin de la fête pour te le donner. Tu peux l'ouvrir, si tu veux...

Nadine regardait avec mélancolie les mains de Luna déchirer rapidement le papier jaune. La première fois qu'elle avait vu ces petites mains, trois ans auparavant, elles étaient toutes rouges et fermées en petits poings serrés. Ils avaient bien ri, elle et lui, en disant que ses poings fermés et sa petite tuque lui donnaient un air de boxeuse. « *Elle s'appellera Luna*, qu'elle avait dit, *Luna la boxeuse* ».

- Une robe ? C'est qui sur la robe ? Papa, c'est qui ?

- C'est une robe de princesse, répondit la grand-mère. Celle qui est sur la robe, c'est Belle. Tu sais, Belle de *La Belle et la Bête* ?

- La bête et la belle ? Tu les connais, toi, maman ?

Sans doute aurait-il fallu que Nadine réponde quelque chose, ce soir-là. Par ignorance ou par paresse, peut-être, elle s'était tue. Elle et Léo s'étaient contentés de regarder d'un air renfrogné et impuissant la grand-mère mettre la robe à l'enfant qui, spontanément, s'était mise à tourner. Sans le savoir et sans avoir réagi, elle et lui avaient donc consenti à ce que cette robe pénètre dans leur vie.

Quelques jours plus tard, dans l'avion, alors que le Rio de la Plata sortait lentement du cadre du hublot, Nadine avait réalisé, pourtant. Elle avait réalisé le pouvoir de cette robe sur l'enfant.

- Maman, regarde ! C'est *La Belle et la Bête* dans la petite télé. Je veux voir le film de *La Belle et la Bête* ! S'il te plaît, s'il te plaît ! Papa, appuie sur le bouton de la télé !

- Regarde Luna, on pourrait regarder le film du gros chien et de la petite souris, avait-il essayé de la convaincre. Il est là lui aussi. *La Belle et la Bête*, c'est mauvais et c'est trop long !

Luna pleurait bruyamment et, au bout d'un certain temps, les parents cédèrent au caprice de l'enfant. Mais, ni Nadine ni Léo ne devaient oublier le regard fasciné de Luna devant l'écran. Depuis cet émerveillement, l'imaginaire de leur fille semblait habité par des images de château, de robe et de prince charmant.

- C'est une étape, vous allez voir, leur dit une amie à leur retour à Montréal. Mon garçon a eu une période *Spiderman* vraiment intense. C'était les grandes négociations, le matin, parce qu'il ne voulait pas enlever son pyjama d'homme-araignée. Ça a duré quelques mois pis après ça s'est passé...

L'amie avait dit vrai. Les semaines passaient et, lentement, la passion pour la robe de princesse s'estompait. Un jour, pourtant, tout ressurgit. Luna arriva de la garderie avec un petit livre entre les mains. Un petit livre rose avec des brillants qui s'intitulait *Rose joue à la princesse*. On y racontait l'histoire d'une petite fille qui avait reçu un « magnifique déguisement de princesse » et qui avait invité son amie Marion à jouer avec elle. Pour apprendre à être de « vraies princesses », les deux fillettes s'entraînaient à marcher avec des livres sur la tête, dansaient la valse et buvaient du thé « avec élégance, la tasse dans une main et la sous-tasse dans l'autre ». À la fin de l'histoire illustrée de poupées, de fleurs et de cœurs arrivait le petit frère de Marion « déguisé en chevalier comme dans les contes de fées », qui s'agenouillait pour demander à Rose de l'épouser.

Le livre était si méprisant, si ouvertement réactionnaire, que les parents décidèrent d'un commun accord de ne pas répéter l'erreur commise avec la robe de princesse. Le livre rose, aussi inoffensif qu'il puisse paraître, devait être évacué de leur vie. Il n'était pas question de lui relire cette histoire, pas question de la laisser pénétrer l'imaginaire de Luna. Après tout, l'enfant aurait vite fait d'oublier l'existence du livre...

Pourtant, dès le lendemain, Luna commença à chercher le livre rose dans sa bibliothèque, dans sa chambre, dans la maison. Ils avaient beau faire semblant de rien, elle et lui, ils avaient peine à répondre aux demandes insistantes de l'enfant. Tous les jours, Luna appelait le livre comme on appelle un petit chien, persuadée que si elle reprenait et remettait son habit de princesse, il finirait par réapparaître.

- Est-ce que tu connais Kim Yaroshevskaya ?

- Qui ?

- Tu sais, celle qui incarnait Fanfreluche, cette poupée dans l'émission de télé des années soixante ? Dans *Passe-partout*, elle faisait le rôle de Grand-Mère.

Nadine et Léo étaient assis sur le balcon. Le couple aimait bien se retrouver là, les soirs d'été, à fumer un joint quand leur fille dormait.

- Oui, ça me dit quelque chose, répondit-il vaguement.

- Elle a écrit un livre pour enfant qui s'appelle *La Petite Kim* où elle raconte son enfance en Russie. Ses parents étaient membres du *Parti* et ils ne voulaient pas qu'elle joue avec des poupées. Pour lui apprendre à être forte et courageuse, ils lui ont acheté un petit fusil en bois. La petite Kim finit par habiller son fusil en poupée. Elle le berce, lui chante des chansons. Elle prend même des cuillères et les déguise en poupées...

- Je te vois venir…

- Je me demande vraiment si c'est une bonne idée de cacher le livre de Rose. Non seulement j'ai peur que Luna n'enlève plus jamais son maudit costume de princesse, mais j'ai peur qu'elle se mette à inventer, faute de livre, des histoires de princesses à l'infini. Et puis, je me suis mise à penser à Émilie Beaumont, l'auteure du livre. Je me suis demandé de quel droit je la censurais ? De quel droit j'imposais mes goûts à Luna en mettant son livre à l'index ?

- On ne met pas « à l'index » quoi que ce soit, on essaie seulement de transmettre des valeurs différentes à notre fille ! Ton Émilie Beaumont, elle a écrit une histoire vieille comme le monde, un conte banal et stupide pour apprendre aux filles à bien se tenir !

- Pis on est qui, nous, pour juger de l'œuvre de cette fille-là ?

- De l'œuvre ? Tu me niaises ?

- Je sais que le livre est super sexiste, mais te rends-tu compte qu'on ne laisse pas Luna décider de ce qu'elle a envie de lire ? Il faut essayer de la convaincre par d'autres moyens de ne pas être une princesse. Je ne sais pas moi, on pourrait essayer...

- On pourrait essayer de la laisser faire pour qu'elle devienne comme sa mère ? Une fille qui parle d'égalité, mais qui est constamment préoccupée par son corps ! Qui est toujours en train de surveiller son poids, qui se maquille et qui se demande tous les matins comment elle va s'habiller ?

- Va chier ! Comme si elle ne t'importait pas l'image, toi ! Tu penses que je ne te vois pas quand tu regardes les petites punks en mini-jupe, quand tu souris poliment devant les grosses dans les partys ? Quand tu bandes, comme un con, en pensant à toutes les filles aux fesses serrées ? Parce que je mets du noir sur mes yeux pis que j'essaie de ne pas trop me trouver laide, je reproduis toutes les valeurs du système, c'est ça ? Tu parles comme si tu n'en avais pas, toi, de contradictions !

Nadine prit ses cigarettes et descendit dans la ruelle. Ses pas et sa colère la guidèrent vers l'avenue Ontario. Les prostituées côtoyaient les filles branchées qui sortaient du Théâtre Prospero. Partout, les femmes étaient fardées, travesties, voilées. Elle ne pouvait s'empêcher de penser à sa petite Lune qui dormait les poings fermés. Comme si déjà, elle se préparait au combat qu'elle allait devoir mener.

- Regarde Luna, maman a retrouvé ton livre.

C'était le lendemain, elles étaient assises toutes les deux devant leur déjeuner. Luna, encore endormie, prit le petit livre entre ses doigts.

- Je te redonne ton livre, mais je dois te dire qu'on ne l'aime pas beaucoup, papa et moi. On trouve qu'au lieu de s'entraîner à être des princesses, les petites filles pourraient apprendre à faire d'autres choses... Des choses comme compter les étoiles, découper des papillons dans du papier, imiter les oiseaux. Il existe des milliers de façons d'être une fille... Tu pourras regarder le livre de Rose quand tu voudras, mais tu ne pourras pas obliger ni moi ni papa à le lire si on n'en a pas envie. Tu comprends ?

Luna avait compris. Dans les semaines qui suivirent, elle regarda les images de Rose, remit encore et encore sa robe de princesse, mais n'insista pas pour que ses parents lui fassent la lecture du livre. Petit à petit, les rêves de château laissaient place à des rêves de bateaux à voiles, de patins à roulettes et de chevaux.

Par une froide matinée d'octobre, Luna leur annonça même qu'elle ne savait pas encore en quoi se déguiser à l'Halloween. Elle hésitait entre princesse et pirate.

- T'as déjà ta robe pour te déguiser en princesse, mais si tu veux te déguiser en pirate, il faudrait créer un costume, lui dit Léo. Aimerais-tu que papa t'aide à te fabriquer une épée ?

Le large sourire de Luna fit croire à Nadine, ce jour-là, qu'elle avait gagné. Elle était particulièrement fière de savoir que le désir d'être une pirate n'avait pas été imposé. Durant toute la durée des préparatifs de l'Halloween, toute la famille était enjouée. On décora une citrouille, dessina des araignées.

Puis, vint le jour tant attendu où Luna devait se rendre déguisée à la garderie. Nadine et Léo se levèrent tôt pour préparer le costume et prendre des photos. Sur le vélo, Luna chantait à tue-tête et pressait sa mère d'aller plus vite en brandissant son épée.

Une fois arrivée à la garderie, Luna cessa de chanter. Mis à part une petite fille déguisée en fée, toutes les fillettes arboraient des robes de princesses scintillantes. Les unes avaient des couronnes de fleurs, les autres des colliers de perles. Malgré les encouragements que lui prononça sa maman, Luna entra dans la salle la tête basse. Nadine voulait partir, mais ses jambes restèrent figées pendant que sa fille rejoignait les autres. Au moment où elle allait finalement quitter la garderie, elle entendit Luna, la voix étranglée, dire aux fillettes qu'elle n'était pas un garçon et qu'elle aussi, la prochaine fois, allait se déguiser en princesse.

Nadine ne put retenir ses larmes. Comment avait-elle pu être aussi naïve ? Comment elle et Léo avaient-ils pu croire qu'ils réussiraient ainsi à gagner contre une société en entier ? Nadine ne vivait-elle pas, elle aussi, les pressions exercées pour être belle et conforme ? Malgré sa résistance quotidienne, n'était-elle pas prisonnière du regard des autres femmes, des hommes ?

Sur le chemin du retour, Nadine eut la conviction, pour la première fois, qu'elle ne pouvait combattre seule. Que même si Léo était là, à l'appuyer, elle avait besoin de s'entourer de femmes qui résisteraient à ses côtés.

Cette décision profonde, irrémédiable, suffit à l'apaiser. Durant l'après-midi, elle se teignit les ongles en noir, mit sa jupe longue et son chapeau effilé. Quand elle alla, finalement, chercher Luna à la garderie, son air était calme et décidé.

- Maman, on va aller chercher des bonbons ? Tu t'es habillée ?

- Oui, ma chérie. Maman s'est préparée. Aujourd'hui, c'est en sorcière que j'ai décidé de me déguiser.

Cogito Ergo Doleo

Kayleigh Graham

Je vais te raconter l'histoire d'une jeune femme qui s'appelait Nox. Elle habitait ici, auparavant. Oui, dans cette même ville. Elle y est arrivée par une journée pluvieuse d'automne, et elle est partie par un temps similaire, quelques années plus tard. Je ne connais pas l'histoire complète, certes – personne ne la connaît, c'est impossible – mais je pense que j'en ai saisi une bonne partie. Tout ce que je te raconterai, je le sais grâce aux témoignages que j'ai recueillis des gens qui l'ont croisée ou qui l'ont connue de près ou de loin.

Nox est donc apparue dans la ville, seule, par une journée d'automne. Selon la femme chez qui elle a loué une petite chambre, elle est arrivée avec des vêtements en lambeaux, un sac à dos déchiré et à peine assez d'argent pour s'acheter un paquet de gomme. Mme Tremblay a pris pitié de la pauvre adolescente et l'a logée sans demander de dépôt. Si on peut être plus ou moins certains sur ce qui s'est passé dans la vie de Nox après qu'elle se soit établie dans la ville, on ne sait absolument rien de sa vie antérieure. À peu près tous ceux et celles qui l'ont côtoyée, de près ou de loin, racontent une histoire différente. Nox ne parlait jamais de son passé, même avec les amants avec qui elle a été la plus intime, avec qui elle a passé le plus de temps, et selon ceux-ci, personne avec quelque lien de parenté avec elle ne se présentait à sa porte.

« Nox continuait toujours sur son chemin comme si elle était seule au monde. Non, elle ne parlait jamais de son enfance, de ses parents, elle n'a même pas mentionné de cousin lointain. Moi, j'suis sûr qu'elle venait d'une famille de richards, tu sais, des gens qui ont une piscine, un garage pour deux voitures, un arbre dans la cour avant parce que la loi municipale l'oblige... des gens qui ont exactement deux enfants, un garçon et une fille, et qui ont bien sûr un chien qui s'appelle Fido. Ouais, j'suis sûr qu'elle venait d'une famille comme ça. En tout cas, ça expliquerait beaucoup de choses... »

- Témoignage de Fisk

« Je crois que Nox était assez pauvre quand elle était jeune... elle avait l'air de quelqu'un qui a connu une vie dure. Tu sais, il y a des gens qui ont l'air d'avoir cinquante ans quand ils en ont juste vingt ? Ça se voit sur leur visage... et ça se voyait très clairement sur le visage de Nox. »

- Témoignage de Sam

Les hypothèses sur les origines de Nox se situent toutes entre ces deux extrêmes, mais il n'y avait personne qui pouvait confirmer avec certitude d'où elle venait ni ce qui l'avait poussée à quitter le repère familial pour s'établir dans la métropole. Par contre, une grande majorité des gens qui l'ont rencontrée s'entendent pour dire qu'étant donné ce qu'elle a accompli pendant son séjour dans la ville, elle devait être motivée par quelque chose de plus important, quelque chose de plus grand qu'elle-même, et que l'endroit d'où elle venait ou la situation familiale qu'elle avait laissée derrière elle comptait peu. Mais je raconterai cela en temps et lieu.

La jeune femme avait une façon assez particulière de se présenter, que quelques-uns trouvaient même intimidante. Elle s'habillait toujours en noir de la tête aux pieds, même l'été, sous la chaleur suffocante de la métropole, avec des bottes en cuir lacées jusqu'aux genoux. Elle avait des longs cheveux noirs qui descendaient jusque dans le bas de son dos, et des yeux perçants qui marquaient l'âme. Elle faisait parfois peur aux enfants qu'elle croisait dans la rue – un endroit où elle passait la majorité de son temps.

Nox marchait pour se déplacer, toujours. On pouvait la voir marcher parfois avec le nez dans un livre, ou bien perdue dans ses pensées et ses questionnements. Peu importe quelle distance elle devait parcourir, peu importe le temps qu'il faisait, on pouvait être sûrs que Nox serait à pied. Elle détestait prendre l'autobus, et personne ne l'a jamais vu entrer dans le métro.

« Nox m'a expliqué qu'elle préférait marcher parce que ça lui permettait de réfléchir. Cette fille-là, elle passait tout son temps à réfléchir, jusqu'à en perdre la notion du temps ! Une fois, elle devait venir prendre un café avec moi, et elle a carrément passé tout droit – elle m'a appelé trois heures plus tard, en m'expliquant qu'elle s'était retrouvée dans un parc à l'autre bout de la ville parce qu'elle était trop absorbée dans son livre de Bakounine. »

- Témoignage de Fleur

« Nox m'a dit une fois qu'elle n'aimait pas prendre l'autobus parce qu'elle ne voulait pas rater l'occasion de trouver un endroit calme où elle pourrait éventuellement aller quand elle avait besoin d'être seule, ou quand elle avait du temps à tuer et qu'elle voulait lire et réfléchir en paix. Elle devait connaître la ville comme le revers de sa main – tu peux pas imaginer combien de cimetières et de bâtisses abandonnées on a visités ensemble ! »

- Témoignage de Marek

Les habitudes excentriques de Nox rendaient parfois mal à l'aise les gens autour d'elle. Employeurs, professeurs, propriétaires et autres figures d'autorité la jugeaient « marginale », avec une personnalité « lugubre » ; certains amants, amis et collègues pensaient qu'elle était trop « sombre » et très « intense ». On dit même que son surnom peut être attribué à son attitude morose. Certes, la jeune femme avait une perception assez particulière de la vie et du monde qui l'entourait – pour mieux comprendre sa vision des choses, il faut parler avec Johnny, son tatoueur.

Notre mystérieuse inconnue avait les mots COGITO ERGO DOLEO tatoués le long de sa colonne vertébrale. Quand Johnny lui a demandé pourquoi elle voulait les mots « je pense donc je souffre » imprimés à tout jamais sur son corps, elle lui a répondu :

« *Je suis quelqu'un qui comprend ce qui se passe autour d'elle, qui voit le monde comme il est vraiment, qui réalise que ça pourrait être meilleur, et qui sait qu'il faut lutter longtemps avant d'atteindre ce monde meilleur, mais qu'il n'y a pas beaucoup de monde qui a la volonté ou le désir de faire cet effort.* »

« *C'te fille-là, elle voulait changer le monde, elle voulait ouvrir les yeux des gens... mais c'tait comme un fardeau sur ses épaules, parce qu'a pensait pouvoir faire ça tout seul. J'me souviendrai jusqu'à fin de mes jours de ce qu'a l'a dit... ça m'a inspiré, tsé. Là, c'est moi qui veut changer l'monde, qui veut faire quelque chose.* »

- Témoignage de Johnny

« *Nox était comme un oiseau pris dans une cage. Ell avait un message magnifique qu'elle voulait partager avec le monde entier, mais y'en a plusieurs qui ne voulaient pas l'entendre, qui voulaient qu'elle reste calme et sage et qu'elle vive une vie normale, comme tout le monde. Elle voulait se libérer de sa cage, mais pas sans libérer tous les autres oiseaux aussi, comme toi et moi... Nox voulait qu'on soit tous libres, ensemble, et qu'on puisse voler dans les airs et voyager où bon nous semble, sans les contraintes d'un employeur, d'un propriétaire, ou de n'importe qui d'autre qui voudrait nous garder enfermé. »*

- Témoignage de Zero

Éventuellement, Nox ne se contentait plus de lire des livres et de songer sur la situation autour d'elle. Tout comme un animal qui se sent enfermé dans une cage, elle voulait à tout prix passer à l'action et changer le monde de façon concrète. Son temps n'aurait pas pu être mieux choisi – c'était pendant cette période que le gouvernement décrétait des nouvelles lois qui mettaient la population à la merci des corporations et qui mettaient en péril la liberté d'expression et de mouvement des « radicaux », soit les étudiants, les syndicats, les écologistes, les anarchistes, bref tous ceux qui questionnaient le statu quo. Nox a commencé par organiser des manifestations pacifiques ; quand ses efforts se sont révélés vains, et après qu'elle ait passé plusieurs nuits en prison, elle a décidé de passer à d'autres actions, moins symboliques, plus tangibles. Avec un petit groupe d'anarchistes, y compris plusieurs de qui j'ai pu recueillir des témoignages, Nox a réussi à semer le chaos à travers la ville : les tours à bureaux contenant les sièges sociaux des corporations ont brûlé, les infrastructures informatiques du gouvernement ont été démantelées, et les réseaux de communication des forces de l'ordre ont été démolis. Bientôt, ce n'était pas que son petit groupe de « rebelles », mais en fait toute la population qui descendait dans la rue et qui passait à l'action. Peu de temps après, le gouvernement a perdu le soutien des forces de l'ordre, ces derniers ayant rejoint le camp des grévistes et des anarchistes, et la ville a été libérée de l'étau qu'était l'État.

Aujourd'hui, on ne peut plus voir Nox dans les rues de la ville. La dernière personne qui l'a vue est Mme Tremblay, quand la jeune femme a pris son sac à dos et a quitté son appartement sans un mot, un matin du mois d'octobre. Ça fait déjà quelques années de ça, mais on en parle encore – elle n'a jamais averti personne qu'elle quittait et personne ne pouvait expliquer pourquoi elle est partie. Certains racontent qu'elle s'est isolée dans une cabane sur une montagne dans le nord, pour vivre comme recluse après avoir atteint son but de changer le monde. Mais la majorité des gens – y compris moi – croient que Nox a continué de se déplacer de ville en ville à travers le monde et qu'elle a continué à inspirer les gens à réfléchir, à se lever, à lutter et à se libérer – car pour quelqu'un d'aussi déterminé que Nox, son but ne serait jamais atteint tant qu'une seule personne vivra la répression

Apologie d'une fin du monde

Marhi-Aive

Mes vêtements sont mauves mes bleus rougis salés de sueur de mon corps étourdi.e endormi.e survivant.e virginité blanchâtre dissimule mes pupilles qui se dilattent lentement évadé.e égaré.e dans un endroit restreint les murs se referment sur mon corps de plus petit.e la pièce ne me distingue plus ma tête éclate ne reste qu'une peau moisie infectée.

00 :00

Mon corps est allongé, enfoncé dans les springs du matelas à moitié dechiré et infesté ; au fond d'un 1 et ½, dans un ghetto à l'odeur d'un quartier bondé, bombardé par la gentrification. Une main est gravée sur ma joue gauche. Une nuit difficile, sensationnelle.

Étourdi.e la bouche mi-ouverte

06 :00

La chambre est presque vide, j'y ai emménagé il y a trois mois. Quelques boîtes, environ cinq ou peut-être six, sont empilées sur le mur du fond, près du seul espace de rangement de la pièce, une armoire ridiculement petite. Impossible de savoir à quel moment je serai évincé.e, c'est pour ça que j'ai décidé de rester emboîté.e, prêt.e à partir à tout moment. Sur la table basse, près du lit, il reste les quelques pièces de monnaie qui ne se sont pas envolées avec le loyer ; un peu de change pour terminer le mois, pour un dernier petit croissant. Les cachets multicolores font partie de la mosaïque, étendus sur le plancher ; ça donne un peu de couleur, d'animosité.

Mes yeux s'absentent.

07 :00

Au-delà des murs, une île habitée par une populace tout aussi déjantée, introvertie et apeurée. Un mirage. On a annoncé que les ponts seraient bouchés tout l'été, personne ne peut sortir de l'île, la circulation est donc entravée, lente, on est en mode rewind. Que se passe-t-il derrière ces murs ? Les gens fonctionnent à la course, le son des pas multipliés, ça résonne. Je me sens comme du métal, le bourdonnement des abeilles radios se répercutent dans ma tête. Un mirage. Un échappatoire. La porte de sortie vers un autre cachet. Extase. Mes os frissonnent, ça claque dans ma cage thoracique, une étrange impression d'un bout de chair enfoncé au fond de la colonne vertébrale et mon corps qui se ramollit. Le processus de putréfaction s'empare de nous. Des corps morts. Fades. Faux.

Mes lèvres sont tièdes.

08 :00

Rapide, des mots sont détournés, ça sonne faux, ça sonne trop. Je sens mon corps arpenté, sculpté, défoncé. Et on cherche à être défoncé - allez, enfonce, plus loin, va chercher la limite de ce qui reste d'impressionnant, va explorer plus loin, détruis. Elle est où ta limite ? Et la mienne ?

J'ai l'entre-jambe qui saigne ça pue.

12 :00

Il y a des moments où la projection dans l'avenir nous arrache à la torpeur. S'égarer n'est plus possible. Des moments où la guerre est vacillante devant nous, le conflit est inévitable. S'y lancer ou l'ignorer, le choix se révèle rapidement inconscient. Il faut éliminer l'existence paisible au profit des luttes au corps-à-corps.

Il fait noir partout.

La seule façon de sortir est de faire couler cette île illusoire. Sauter, cracher, crier jusqu'à ce qu'elle s'effondre sous nos pieds, qu'elle se noie dans un lac artificiel, boiteux. Il n'y a plus de compromis, c'est maintenant ou jamais. Il faut se déchaîner, se défaire de ces chaînes qui nous entaillent les poignets, les chevilles, le sexe et la gorge.

Il.Elle brûle

00 :00

La porte se ferme brusquement, le bruit des cadenas sur une serrure. Il n'y a plus d'espace. Mon corps m'enlace, m'embrasse, m'enferme.

Les corps dévorent sur leur passage.

Plus rien,

aucun souvenir,

d'une seule racine,

d'un seul souffle,

de l'extase.

Aux impulsions qui s'acharnent

Myriam Lartrem

Il y eut un corps.
Puis, le temps d'un lieu.
Et de mots pensés et dits, parfois criés ou pleurés ;
Des mouvements humectés de mots.
Le silence de se mouvoir ;
En jouant toujours, et encore, l'abandon.

Le paysage était sordide. Partout, il y avait des filles dans des cages. Jeunes, effilées, effilochées. Elles avaient toutes cherché la même chose, à tâtons, et ce lieu les avait retenues.

Au fond de chaque cage, il y avait un mur de brique et des planchers de vieux bois qui sentaient le couvent. Les barreaux faits de miroir renvoyaient des bouts de reflets aux impulsions qui s'acharnaient, comme des roches lancées qui produisent une ondée dans l'eau calme.

Élaine dansa à contresens, trébuchant sur chaque note en s'agrippant à la portée. Pas moyen d'aller vers l'avant, comme une voleuse qui s'échappe ; renverse tout, arrive au bout de sa peine en ne suivant que son rythme cardiaque.

« Votre posture est abominable. Et vous ne semblez avoir aucune mémoire corporelle. Vous feriez mieux de retourner à la barre et de sortir d'ici, si vous voulez qu'on vous accepte l'année prochaine ».

On indiqua la porte aux numéros 3, 6, 9, 10, 15, 17, et... 18. Élaine n'arriva pas à se lever sur le champ. Ses yeux fixaient le mur du fond pour qu'il l'empêche d'offrir ses larmes, sa rage et sa honte à celles qui croyaient la connaître. Elle les avait laissées la *regarder*. Elles ne l'avaient aperçue que l'espace d'un temps, l'enchaînement proposé avait été enseigné tellement rapidement qu'il s'était emparé de ses membres, les dirigeant ici et là sans coordination.

Le mur avait ralenti le processus, mais ne pouvait pas l'empêcher. Elle se leva d'un bond et courut, suivant l'élan de sa furie qui voulait sortir de partout. Elle fut propulsée, passa à travers la porte. Ouverte ou fermée, elle ne l'avait pas su. Elle avait explosé en continuant sa course, puis le reste avait suivi. Retenue juste à temps pour ne pas se jeter dans les casiers, le plancher amortit sa chute et ses larmes, et reçut le torrent qui se déversait de son corps épris en silence.

La plupart des filles s'étaient faites aux regards des gardes. Leurs lèvres rouges étaient fendues comme un sourire d'éternité, leur chair fardée de légèreté blanche et poudreuse, leurs pieds chaussés d'une armature de fer recouverte de soie rose. Elles se tenaient, droites et maigres, armées de leurs carcans à revêtir, prêtes à se dresser sur leurs orteils pour mieux voir les dépouilles ramper jusqu'à elles en valsant.

Élaine détestait répéter pour répéter. Répéter le désastre et la douleur d'échapper chaque fois à l'enchaînement. Le soir, et même le jour, elle rêvait. Danser sans avoir à l'apprendre au préalable. Prise d'une bourrasque, transportée comme une feuille, une plume, un chiffon, puis d'un coup de tonnerre, effondrée comme une roche, un arbre qu'on abat, qui s'affaisse sur le sol avec une grâce, une lenteur mordantes.

« Lorsqu'il danse, votre corps ne cherche qu'une chose : sortir de vos déplacements brutaux et peu assurés, s'émanciper de ce qui le retient ; le plancher, les murs, votre manque de souplesse, votre mémoire défaillante. Si vous ne le sentez pas vouloir aller plus loin que les limites que vous lui mettez, c'est que vous n'êtes pas à son écoute, et les spectateurs le verront. Le jury aussi. » Élaine ravala une larme. Elle avait ajouté « le jury aussi » en portant son regard vers elle.

Elles se plient facilement, comme du papier. Elles se plient, se lient, puis se plaignent. En respirant toujours plus fort, plus faux. Le plus drôle, c'est que les maîtres et les filles étaient enfermées ensemble.

Chaque fois qu'elle croisait le regard perçant de cette femme, des larmes suintaient des pores de sa peau, sans doute pour éteindre le feu qui l'envahissait aussitôt. Son sourire narquois ne pouvait que traduire sa satisfaction de la voir immobile, ses yeux qui clignaient indiquaient certainement qu'elle trouvait son corps plus beau lorsqu'il ne bougeait pas.

Élaine fixait alors le mur pour qu'il l'empêche de se laisser envahir par cette odieuse impression, un solide barrage qui retiendrait ses larmes.

« ÉLAINE ! Vous avez entendu ? Au centre. On pratique les pirouettes ».

Elle prit un moment à quitter le mur des yeux, à l'emporter avec elle dans son regard pour empêcher les pupilles de la professeure de patauger allègrement dans cette marre d'eau salée qui n'attendait que le son de sa voix pour se déverser. Surtout, elle ne voulait pas que cette femme la surprenne en train de se demander ce qu'il fallait faire pour délivrer ses mouvements.

Elle se leva et répéta ce qu'on lui proposait. Mais les regards contrecarraient toutes ses tentatives. Élaine attendait souvent la fin de la classe pour répéter seule, à l'abri de cette tempête de pupilles qui s'acharnaient sur elle, qui l'empêchaient de s'affranchir.

On entendait toujours en sourdine un piano et un métronome. Le soir, on leur chantait des berceuses. On leur mettait de la musique douce, de la jolie musique douce, mais pas pour qu'elles s'endorment. Pour qu'elles s'assouplissent.

Les jours et les heures défilaient sous ses pieds. Un train qui prend de la vitesse et qui ne s'arrête plus. Ses soirs et ses fins de semaine s'égrenaient dans le studio. À force de pratiquer chaque jour, l'image de sa démarche s'imprégnait peu à peu dans ses rondades. Entre le mur et le miroir, son corps émettait un écho qu'elle pouvait désormais entendre, anticiper. Les maux de genoux, les ampoules, les enflures : c'était son enveloppe à présent qui offrait des limites à dépasser. Elle se heurtait pour faire sortir quelque chose, une puissance légère qui jaillirait à cause des coups. Des larmes coulaient de ses pieds, son corps hurlait à présent. Comme jamais.

Son essor chorégraphique, réglé, lui donnait l'impression de se posséder. Elle ne touchait ni le sol, ni l'air, rien ne résistait à son envol. Elle était son propre objet mouvant, même dans ses allées et venues, une sculpture qui s'observe constamment. Souvent, elle imaginait le public la regarder l'envier d'être si volatile. Ça l'aidait à passer par-dessus les coups et les blessures qu'on lui infligeait. C'était extraordinaire d'être sa propre spectatrice.

Le matin, le midi, le soir, toujours, on leur servait de la liberté en pot. À manger crue, sans préparation. Toutes, elles se pressaient de s'engouffrer dans la conserve pour pouvoir s'empiffrer de liberté acide.

Élaine venait de terminer sa pratique en solitaire. En enlevant ses vêtements devant le miroir pour se changer, elle remarqua à quel point ses muscles avaient pris de l'ampleur, à quel point son profil s'était élancé, comme si l'espace l'avait modelée. La musique qu'elle avait mise pour pratiquer déferlait toujours en boucle dans le studio, de simples notes de piano qui marquaient le rythme, qui s'envolaient parfois assez pour qu'elle s'y laisse emporter. Ses doigts se faufilèrent un chemin dans l'air ambiant, lentement, vers le haut, ses bras se placèrent doucement au-dessus de sa tête, puis tombèrent en un souffle qui la fit tourner, puis atterrir sur son pied gauche, la tête plongée vers l'avant, la jambe droite étirée vers le haut, pointant le ciel. Elle s'élança vers le mur comme pour s'y jeter, puis se retint dans un louvoiement langoureux, se retourna sec, pour reprendre un élan vers le miroir. Ce qu'elle entendit la fit s'arrêter net.

« Vous l'avez eu au moins cette fois. J'ai presque réussi à oublier la présence du mur. C'est l'effet recherché. Je ne sais pas si c'est l'exécution de vos pirouettes ou l'effet surprenant de votre nudité, mais ça a bien marché. Peut-être voulez-vous essayer encore, pour que je me fasse une idée ? »

Elle se tourna vers le mur pour éviter de la regarder droit dans les yeux. La honte atteignant son point d'ébullition, même sa peau disparaissait, mise à nue. Tout ce qui lui restait pour la couvrir avait disparu.

La nuit se plaignait d'être noyée dans la lumière. Les néons assourdissaient les allures des corps qui s'échinaient à respirer, à essayer de dormir. Blottis les uns contre les autres au beau milieu de leur cage de miroirs qui se multipliaient bruyamment dans la noirceur. Éclairées.

La première note de piano surgit en même temps qu'Élaine. Ses doigts se frayèrent un chemin dans l'air froid, lentement, vers le haut, ses bras se suspendirent au-dessus de sa tête, puis tombèrent en un râle qui la fit tourner, puis atterrir sur son pied gauche, la tête pendant vers l'avant, la jambe droite étirée vers le haut, pointant quelque chose. Elle s'élança vers le mur comme pour s'y fracasser, puis se retint dans un déhanchement obscène, se retourna sec.

Il y avait des briques, elles lui tombaient sur la tête, puis la transperçaient. Non. Elle n'était pas devant le miroir, elle était devant le mur, il lui renvoyait ses mouvements comme un miroir.

Les larmes qui coulaient de ses yeux avaient refroidi au contact de la paroi, un seau d'eau froide qu'on garoche en pleine figure. Les gouttes se répandaient sur sa peau frigorifiée. Son poil se hérissait, ses muscles se raidissaient, elle se sentait devenir un bloc de glace.

Elle se sentait.

Son sang, rouge écarlate, gorgé d'oxygène, circulait à sens inverse dans toutes ses veines, tant qu'elle se mit à reculer. Elle recula. Elle marchait par derrière, doucement, comme on prend un élan.

Renfrognant une larme, puis un torrent, elle s'élança, ne suivant ni le rythme de la musique, ni les enchaînements programmés par les jours de répétition qui avaient précédé cette représentation. Elle ne suivit que son doigt. Son doigt pointait le mur du fond. Elle le pointa comme on vise avec un fusil ; elle avait une cible à atteindre. Elle se mit à courir, à hurler. Dans un élan qui s'étale, elle alla droit au mur, à grand fracas elle s'y jeta, pour y rebondir sur le sol, puis crier... Bouche contre terre, elle léchait le plancher, mangeait les graines qu'elle trouvait, se frottait les joues et l'échine sur les lattes de bois. Dans chacune de leurs imperfections se trouvait une sensation à explorer, un pore à remplir de poussière. Elle sentit ses cheveux s'arracher sous son épaule, accentua le mouvement puis cria. Ses fibres s'étendaient sur le sol, jusqu'à ce qu'elle patauge dans une mare d'elle-même comme un bain chaud, de la boue qu'on mange, du chocolat, une marre d'elle-même qui se broie et se noie dans les yeux des autres, s'il en reste. Elle humait ses mouvements comme s'ils puaient, elle se figeait tranquillement au contact de l'air. Elle s'était restitué son propre spectacle, elle se le jouait pour mieux écœurer les gens qui la regardaient horrifiés. Elle humectait sa lenteur, mouchoir de soie qui s'alourdit de regards.

À son cri m'était apparu tout un monde possible. J'avais envie de m'y blottir, d'y laisser ma note. M'envelopper, circuler, crier à mon tour.

Le mur de brique qui longeait le studio avait encore amorti ses pleurs. Elle ne le reverrait plus mais emporterait chacune de ses briques avec elle comme autant de souvenirs assez puissants pour faire voler les barreaux en éclats.

Corps de papier de soi empreint de vent ;
Danse, vole, petit chiffon de bonheur ;
Mouvements humectés d'un regard ;
Mouchoirs de soie mouillée tombent à plat.
Ventre sur le sol,
morte la soie.
Cesse de jouer et prend.

Des marais de sens

Raphaël Hubert

La boue vint s'épandre sur le tapis d'entrée. Elle coulait lentement, sans bruit sans être remarquée, car il y avait pire. Fermer une porte avec attention avait rarement contenu tant d'intensité.

« Ok...Ça va, ça va aller. »

La porte était maintenant derrière elle, et elle s'en éloigna en quête du verre d'eau qui pourrait la soulager. Il ne se fit pas attendre, si bien que sa gorge entama vite un rythme qui se voulait gouleyant. Le soupir qui s'ensuivit ne fut que la trace d'un dernier moment de répit avant que les événements des dernières heures l'empoignent de nouveau.

Ç'avait pourtant commencé comme d'habitude. À peu près en tous cas. Il avait ouvert, elle était entrée, habillée comme si rien n'allait se passer, comme si elle ne tenait pas à son épaule un sac rempli de vêtements et d'accessoires particuliers.

Il lui avait servi à boire, comme d'habitude, il avait bu aussi. Il paraissait avoir commencé avant elle. Depuis un certain temps déjà, ou rapidement depuis peu. Comme pour ne pas y penser, ils parlèrent un peu, jusqu'à ce qu'il disparaisse dans la chambre. Elle savait alors qu'elle devait intervenir dans les minutes qui allaient suivre.

Pas un bruit dans l'appartement sombre, que sa respiration qu'on aurait dite haletante, mais elle ne l'était pas. Trépidante plutôt, elle pesait le poids du moment.

Elle s'était une autre fois déshabillée – depuis quelque temps, elle ne prenait plus la peine de passer à la salle de bain pour ce faire – puis avait enfilé le costume de cuir noir qui commençait clairement à épouser ses formes. Galbé, son corps luisait dans la pénombre, éclat de lune sur des eaux troubles. Puis les accessoires. Il aimait qu'elle débute avec le fouet, comme s'il avait à être dompté avant qu'elle n'en fasse ce qu'elle voulait.

Elle se redressa un peu, se massa le cou et les épaules en secouant lentement la tête. Elle était au-dessus de tout ça, jusqu'à un certain point... Ces quelques heures « spéciales » suffisaient à lui payer de quoi vivre, convenablement quand même. Le rapport s'imposait facilement, les penchants aussi. Si bien qu'elle s'y était faite.

Les choses avaient découlé d'elles-mêmes, puis des suivantes et ainsi de suite. Quelques heures valaient bien peu au regard de celles libérées des soucis monétaires.

Et puisqu'elle n'avait jamais été touchée contre son gré... Même après l'avoir frappé, écorché, fouetté, coupé, jamais il n'avait répondu à ses décharges. Pas de regrets, ni défense : pas de problèmes.

Elle n'en était pas moins dégoûtée. L'odeur de sa sueur suintant perles de plaisir, le rouge aussi menaçant que ridicule, la musique débile. Son corps, prostré, gloussait de peine perdue, se roulait par terre, se levait pour crier. Encore. Encore plus.

À *faire mal*, comment ne pas s'en faire ? Il en redemandait, toujours, toujours plus, toujours plus fort… Elle avait suivi, ses coups avaient gagné en intensité, à la mesure de son dégoût qui s'accumulait visqueux de sperme, marécage.

La force des coups en vint à ne plus suffire. Elle se mit à cogner sa propre haine, à le lacérer de mépris. Il adorait. Elle fut payée pour recommencer. Et encore.

Le noir de l'appartement lui faisait du bien. Elle s'écroula sur son lit toute habillée, le regard plastré au plafond.

« Je ne me suis pas donnée, me suis pas donnée… »

Cette nuit, il a proposé d'autres instruments, un bel arsenal de douleur désirée, de quoi brûler, griffer, taillader…mieux selon lui, trop selon elle. Elle avait figé. Il avait ri, et ri encore en lui donnant plus d'argent. Toujours payer d'abord qu'elle lui avait dit ; il obéissait.

Le premier instrument, n'importe lequel, n'importe où, pourvu que ça finisse. Elle fut alors prise d'un haut le cœur et de cette impression malade de devoir survivre jusqu'à en arriver là.

Au ventre le coup avait porté. Le sang ruisselait, trop pour elle. Il avait eu un petit spasme, puis émit un faible gémissement, tout sourire. Pas envie d'appeler l'ambulance. Elle non plus, ce qui lui permit de partir l'instant d'après. Plus durer, ça ne pouvait plus durer.

*

Que quelques minutes avant la fin. Le *shift* avait été pénible, du moins en tant que répétition. Mais peu en tant que tel, dans la mesure où travailler dans un *sexshop* comporte des aspects parfois ennuyeux, pathétiques, loufoques, mais rarement pénibles. Même si ça arrivait parfois.

La porte ne fit que très peu de bruit en ouvrant. Assez du moins pour qu'il entende entrer un client. Pas assez pour qu'il sache lequel. Pourvu que...

Il aurait aimé que ce soit un autre.

Petit, toujours tiré à quatre épingles un peu tordues, les bras de chemises roulés, la sueur comme deux petites mares ; ses cheveux dispersés tenaient encore bon, mais pas assez pour masquer un crâne luisant, qu'on aurait dit humide. Il avança vers le comptoir de caisse sans observer la panoplie d'objets plus particuliers les uns que les autres dans laquelle il pénétrait.

Il savait ce qu'il voulait. Lui aussi. Il ne le regarda pas. Lui non plus.

« Combien, cette fois-ci ? »

Tout dépendait de leur « fraîcheur », bien sûr. C'était exactement le genre de réplique qui l'empêchait de faire semblant de servir correctement ce client. Au début il l'avait considéré comme un de ces nombreux hommes d'affaires qui, un peu échauffés par le 5 à 7, venaient se rincer l'œil et rigoler un peu en profitant de l'excuse – fort profitable en soi - d'un cadeau à acheter pour pimenter les rapports avec la conjointe.

Mais il était revenu. Et encore. Toujours très tard, quelques minutes avant la fermeture même, toujours cet air à la fois lunatique et déterminé. Pour acheter la même chose, toujours. Différentes à chaque fois malgré tout, plus ou moins récentes, « fraîches ».

« Elles datent d'avant-hier, mais j'en ai une qui est arrivée cet après-midi. »

Il n'allait prendre que celle-là. Évidemment.

Il profita du répit de l'arrière-boutique. Réfugié là, il fut parcouru d'un frisson qui aurait pu avoir l'air d'une inspiration à s'y méprendre. Il pensa à ses amies, qui étaient peut-être allées en vendre, ou qui s'étaient fait subtiliser les leurs à des fins lucratives. Plutôt lucratives même. Chaque petite culotte de jeune fille apportée valait son pesant d'or ici, le patron l'avait bien compris. Le marché comporte peu d'offreuses, et la demande est plutôt forte. Mais à quoi bon… il s'était longtemps habitué au caractère hétéroclite des objets qu'il vendait.

Par contre, jamais il n'avait vendu de matériel « pré-utilisé », en ce sens. L'effet lui avait d'abord paru étrange, l'effet de vente à l'inverse, légèrement dégoûté. Mais puisque tout s'achète…

« Je peux en prendre et en laisser, quand même. »

Mais le temps passait, et se laissait prendre de moins en moins, jusqu'à ce qu'il s'y laisse prendre lui aussi. Son indifférence avait fait place au silence de service. Peut-être parce que c'étaient toujours les mêmes, les mêmes questions, les mêmes regards furtifs, échanges rapides, peut-être parce que les filles qui venaient vendre lui paraissaient si jeunes... Il les comprenait, dans un sens. Tant d'argent payé pour si peu vaut bien une petite rupture d'intimité, peut-être même une escapade en catimini entre l'école et le domicile familial. Peut-être était-ce parce qu'il en avait simplement marre de vendre ce genre de trucs. Il en venait même à ne plus avoir envie d'utiliser les items qu'il s'était procuré grâce à son rabais d'employé.

Elles étaient dans une boîte, dans un sac, dans le frigo derrière. Une fraîcheur à préserver lui avait-on dit, une fraîcheur qui fait vendre. Il prit la dernière déposée là, assez fine, rayée verte et bleue. Ce qui pouvait rester d'émanations de ce qui devait s'y trouver ne semblait plus humecter l'objet. Il soupira brumeux, imprégné.

Devant, l'homme était toujours là. Il l'avait probablement suivi du regard, attendu patiemment son retour, sans broncher. Un regard stagnant qui s'embourba dans le sac - qui luisait moins que son crâne - en tentant de fuir les billets qui tremblaient déjà dans sa main. En quelques mouvements rapides, ils trouvèrent leur compte dans le fond du tiroir-caisse. Talons tournés, il partit vite, sans mot dire.

Lui pouvait enfin partir, parce que l'heure l'indiquait. Il ne pourrait tenir encore longtemps.

*

Pourquoi pas encore une fois, pourquoi pas. Si souvent elle l'avait fait, par amour, don de soi, ou quelque chose du genre. Quelque soin à apporter, parce qu'il le fallait, et qu'il le faut toujours. Changer des couches, bercer, faire manger, elle connaissait bien cette tiédeur, elle l'avait tant fait que la taille des bouches, des fesses et des corps avait fini par se confondre. Si bien que ces gestes en elle s'étaient invités à rester, tatoués comme marque d'affection.

Parce qu'elle ne pouvait pas faire comme si elle n'en avait pas besoin. Séparée, les enfants partis depuis quelque temps déjà, les projets - escapades, nouvelles pièces, cours de... - s'étaient vite construits d'eux-mêmes pour combler le vide. Si vite que les moyens n'avaient pas suivi. Ils avaient même manqué jusqu'à forcer la note.

Des pleurs volumineux lui parvinrent du fond de la cour. Samuel chignait après avoir reçu une petite pelletée de sable. Rendue près de la source de l'ondée, elle se pencha pour consoler l'homme gémissant. Accroupie près de lui, elle le serra contre elle pour le bercer un instant. Un bref instant durant lequel Robert, à l'origine de la rafale, laissa libre cours à ses envies d'ensevelissement miniature. Les grains de sable qui heurtèrent Samuel parurent le brûler jusqu'à transformer ses sanglots en hurlement colérique.

Elle haussa le ton.

« Non, pas gentil, pas lancer de sable à ses amis. Pas gentil ! »

Comme brusqué par la rupture soudaine de son innocence, Robert vint soutenir sa cible aux chœurs larmoyants, et bien vite de chaudes larmes se mirent à déferler dans sa barbe grisonnante. Les pleurs en canon attirèrent sa collègue qui vint s'assurer que tout allait bien.

« Oui, tout va bien. »

Ou presque. Comme on fait semblant de.

Babysitter des adultes lui avait d'abord paru loufoque. À vrai dire, elle n'avait tout simplement pas cru la collègue qui lui en avait glissé mot pour la première fois à l'hôpital. Or bien vite, elle avait remarqué comment les choses s'arrangeaient peu à peu de son côté. Le doute persista un temps, jusqu'à ce qu'elle réalise que ces heures « supplémentaires » lui permettraient d'absorber plus rapidement ce qu'elle devait, voire même de retrouver partiellement ce qui lui manquait. Et puis ces hommes étaient assez intelligents pour *comprendre* ce pour quoi ils payaient tant : la valeur du soin - parce qu'ayant toujours la cote – est une source intarissable d'abondance. Ils ne faisaient qu'y puiser expressément, plus que d'autres. Comme des roseaux qui plient pour ne pas rompre. Et puisque chacun peut bien se satisfaire comme bon lui semble…

Si bien qu'elle s'était habituée à ce travail « atypique », à leurs habitudes, leurs petites manies. Ils avaient leur moment privilégié pour la sieste, l'affection, le jeu... Ils pleuraient, gazouillaient, bredouillaient : à sa manière chacun réduisait son propre langage. Elle s'était même surprise à remarquer que la masse et le volume des « bébés » avait tendance à déterminer leur comportement. Les plus costauds étaient souvent ceux qui demandaient le plus d'attention, alors que les plus vieux tendaient à laisser aller leur inconvenance à tout moment.

Or elle voyait les choses différemment depuis que Michel avait commencé à fréquenter le centre. Elle l'avait reconnu immédiatement, lui non. Comment aurait-il pu, alors qu'elle n'avait été qu'une parmi ses nombrables employées ? Une de celles qu'il n'avait pas hésité à virer lorsque les « contraintes du marché l'exigeaient ». Elle avait de la difficulté à l'imaginer sans son complet lustré, son air fier, assuré, voire condescendant. Ça s'annonçait ardu : incapable de le cajoler, elle l'aurait frappé pour s'en défaire. Sa collègue s'était arrangée pour s'en occuper personnellement. C'était mieux ainsi.

Tout de même. À l'autre bout de la cour, l'homme qui marchait à quatre pattes dans l'herbe ne lui disait rien qui vaille. Malgré toutes ses tentatives empathiques, elle se sentait avalée par sa présence, succion inaudible en permanence, pesante de sa constance, sournoise trop près sans paraître. Comme un pied resté pris dans la glaise.

Les pleurs la ramenèrent les deux pieds dans la marmaille.

« Chuut…ça va. Ne pleurez plus. Bon, les amis, soyez gentils maintenant. »

Les ruisseaux se tarirent d'eux-mêmes. Elle savoura ce bref moment de répit, et se releva en soupirant. Il ne lui restait plus que quelques heures à tâcher d'être la mère qu'ils auraient voulu avoir, ou qu'ils voudraient avoir encore.

En regardant quelques hommes qui batifolaient dans la cour, elle fut prise du vertige d'un instant qui se dilua en malaise détrempé dans ses nerfs. Elle n'arrivait plus à cesser de se demander qui sert qui.

*

Les applaudissements cessèrent en un bruissement poli. Le ministre regagna lentement sa table, où ses comparses se rasseyaient en prenant garde à leur veston. Une fois posé, il lui fit signe pour commander.

Il se dirigea vers sa section alors que l'animateur clôturait les éloges en ajoutant d'autres :

« Bravo, merci Robert. »

Rendu tout près, il écouta le ministre partager ses moqueries à ses compagnons de table, qui savaient comme lui qu'un souper de fondation consistait à déballer de belles paroles et des billets pour se faire applaudir et bien manger en retour. L'alcool qui avait déjà commencé à rougir leurs joues les fit s'esclaffer pour si peu. Debout, l'air d'attendre une directive, il devait patienter jusqu'à ce que Robert finisse de déblatérer ses inepties. S'ensuivit une mince sortie sur le silence.

« Vous désirez ? »

« Un *single malt*. Claude, tu veux quelque chose ? »

« Non, merci, je me ménage. J'ai toujours mal au ventre à cause de cet incident l'autre soir. »

Robert voulait savoir ce qui s'était passé. Toujours en plan, comme s'il était déjà parti, il inclina légèrement la tête pour aller quérir la boisson ministrable. Alors que certains de ses collègues auraient été fiers de servir ce verre, il résorbait plutôt une envie de cracher dedans, comme une vaine tentative de lui restituer la crasse de celui qui s'apprêtait à le boire.

Le verre servi par le barman attendait d'être pris par des mains serviables. Les siennes hésitèrent un temps, durant lequel il balaya la salle du regard pour observer l'effervescence qui l'animait. Ses collègues faisaient des pieds et des mains pour répondre aux désirs des convives qui avaient si chèrement payé leur place et qui semblaient si peu s'en soucier. La soirée allait être longue. Peu de chances pour qu'il s'en sorte.

« Quelle vasière… »

« Quoi ? »

« Laisse tomber. »

Le verre attendait toujours, réceptacle du liquide doré que ne dégustait pas grand monde. Il soupira, comme pour chasser la légère déception d'être trop entouré pour baver bien comme il faut dans le verre du ministre. Le plateau pesa plus lourd que d'habitude alors qu'il serpentait entre les tables pour aller servir le précieux élixir.

L'accidenté au mal de ventre semblait terminer son histoire d'attaque soudaine en pleine rue lorsqu'il parvint près de la table. Robert s'en indignait vivement, et le troisième homme assis auprès d'eux - qui n'avait toujours rien dit - ne disait toujours rien. Les reflets de son crâne répercutant la lumière des lustres de la salle semblaient être les seules émanations de sa si peu éclatante personne. Si bien que le regard avide de l'homme reluquant les jambes serveuses poussa le serveur en lui à se demander ce qui lui valait sa présence dans cette salle…

Le silence respectueux qui suivit la fin de l'anecdote lui permit de demander s'ils désiraient autre chose.

« Non, ça ira. »

Lui non plus.

Outsiders

Yannie

Kirmae s'éveille à l'aube, respirant l'air frais du matin. Le seul moment de la journée où il est plus ou moins possible de respirer normalement. Son sac de couchage lui tient chaud mais elle sent que l'humidité de la rosée cherche à s'infiltrer à travers le tissu épais. Elle attrape sa veste et ses bottes qui sont restées sous sa tête toute la nuit. Rapidement, elle se lève et les enfile. Debout sur le toit de l'immeuble sur lequel elle a passé la nuit, elle a tout le loisir d'observer la ville et l'horizon qui se dessinent sous le smog permanent. Après avoir caché ses affaires près d'un tas de détritus, Kirmae emprunte un escalier de secours qui mène au bas du building de quatre étages.

Tout semble encore silencieux et immobile. La jeune femme marche durant une quarantaine de minutes, prenant bien soin de se dissimuler du mieux qu'elle peut, et finit par bifurquer dans une ruelle encombrée de déchets. Au fond, elle aperçoit un conteneur à ordures entouré d'autres poubelles. Après s'être assurée d'être seule, elle s'empare d'un gros sac et découvre une bouche d'égout qu'elle soulève à moitié, s'introduisant avec agilité à l'intérieur avant de refermer la trappe. Elle prend sa lampe de poche et commence à marcher.

Kirmae a toujours préféré dormir dehors même si c'est dangereux. La plupart des autres restent dans le tunnel et elle les rejoint tôt le matin afin d'éviter de se faire repérer par des gardiennes ou des gardiens de « l'ordre ».

Cela fait maintenant dix ans que Kirmae vit clandestinement en compagnie d'un nombre grandissant de dissidentes et de dissidents. Tout a commencé avec les puces électroniques, fixées sous la peau. Elles ont d'abord été obligatoires pour les animaux de compagnie, puis elles ont été implantées, peu à peu sur les êtres humains pour diverses raisons. Certains bars en faisaient des passes V.I.P. et elles devenaient, ainsi, synonyme de prestige. Ensuite, des campagnes de publicité ont commencé à vanter les avantages d'avoir son code bancaire implanté sous la peau du bras. Elles furent imposées à tous les prisonnières et prisonniers, peu importe leur crime, par souci de « sécurité ».

Puis, un jour, une grande campagne de propagande déferla. La puce n'était pas « obligatoire », elle était simplement un gadget utile que toute citoyenne et citoyen raisonnable se devait d'utiliser. On pouvait désormais porter sous sa peau sa carte d'identité, sa carte bancaire, son passeport, son dossier médical, son dossier criminel. Comme cela avait l'air pratique ! Des publicités de tout genre pullulaient dans tout le pays et, comme à l'époque de la grippe A-H1N1, les gens faisaient la queue à l'entrée des hôpitaux et des cliniques médicales pour qu'on leur implante leur propre puce.

Marchant d'un pas rapide le long du tunnel, Kirmae a un sourire amer en repensant à cette période de leur histoire.

Quelques personnes, en particulier celles et ceux qui ne possédaient pas de téléviseur, restèrent plutôt indifférentes à ce nouvel engouement. La jeune fille prenait plaisir à s'en moquer avec sa bande d'ami-es réfractaires. Cependant, il devint de plus en plus difficile de fonctionner en société pour les *outsiders*, ces gens qui vivaient avec les méthodes du passé telles l'argent comptant et les cartes d'identité en plastique. Comme jadis avec Facebook et les téléphones portables, il semblait évident que la puce était une avancée technologique dont il était stupide de se priver. Qu'avait-on à cacher après tout ?

La puce finit par être systématiquement implantée aux nouveau-nés, et vint le jour où elle devint obligatoire pour franchir les frontières des pays. Même acheter de la nourriture devint compliqué dans plusieurs établissements pour les personnes non-pucées.

Alors une fracture se dessina dans la société. Celles et ceux qui refusaient de se soumettre furent marginalisé-e-s et même persécuté-e-s par les autorités. Kirmae et ses ami-e-s n'étaient pas les seul-e-s dans la ville à résister à cette vague de contrôle. Elles et ils commencèrent à former de petites communautés de résistant-e-s qui s'entraidaient les un-es les autres. Elles et ils finirent par dénicher des endroits dans les souterrains de la ville où il leur était possible de s'installer de manière semi-permanente. Car elles et ils devaient tout de même changer d'endroit régulièrement pour garder leurs lieux de vie secrets.

Au fil du temps, elles et ils développèrent des techniques chirurgicales précaires mais efficaces pour retirer leur puce aux nouvelles arrivantes et aux nouveaux arrivants souhaitant intégrer la communauté. Les réseaux de communication par Internet étaient très surveillés mais certaines personnes, plus douées que les autres en informatique, réussirent à sécuriser leurs connections afin de communiquer avec d'autres *outsiders* à travers le monde. En effet, le contrôle s'était resserré un peu partout sur la planète et des mouvements d'opposition s'organisaient.

Kirmae s'accommodait bien de cette vie. Elle avait l'habitude d'habiter avec plusieurs personnes et participait sans mal aux diverses tâches nécessaires au bon fonctionnement d'une commune. Elle se joignait à différents groupes qui sortaient de temps en temps du souterrain pour récupérer ou voler de la nourriture ainsi que divers matériaux utiles. Malgré tout, comme la plupart des *oustiders*, elle ressentait au fond d'elle-même la rage d'être prisonnière de ce système oppressant. Elle était humiliée de devoir ainsi se cacher pour conserver un semblant de liberté.

Une grande guerre faisait rage à présent de l'autre côté de l'Atlantique. Les pays se disputaient les dernières réserves d'eau potable et de pétrole. Kirmae, comme la plupart des habitantes et habitants des souterrains, avait évité la conscription.

Perdue dans ses pensées, elle arrive au bout du tunnel qu'elle parcourait déjà depuis trente bonnes minutes. Une ouverture au bas d'un mur de béton lui permet de se faufiler de l'autre côté. Elle débouche dans une salle immense. Plus de trois cents personnes y sont assises par terre. Elles ne représentent que l'une des communautés de plus en plus populeuses réparties à travers la cité. Plusieurs parmi le groupe ont un bandage imbibé de sang autour du bras, signe que leur puce a été extraite il y a quelques heures à peine. Des bougies faites à la main brûlent un peu partout afin d'éclairer l'endroit. Kirmae s'assoit et écoute parler un jeune homme qui vient de se lever.

- Voilà, dit-il, je propose d'expliquer, à celles et ceux qui viennent de nous rejoindre, les conclusions auxquelles nous sommes arrivés au fil des années. Nous pourrons ensuite en discuter si vous le désirez. Vu les conditions dans lesquelles le monde se trouve présentement, il semble impensable de simplement se résigner et subir le contrôle et l'oppression.

Un sujet revient de plus en plus dans les conversations : c'est d'abord et avant tout notre ignorance et notre égoïsme qui ont fait la force de nos bourreaux jusqu'à présent. Nous croyons donc que, pour bâtir un monde meilleur, nous devons non seulement lutter contre le régime en place mais également contre nos propres pulsions de domination, ce qui est loin d'être simple. Nous passons beaucoup de temps à partager nos connaissances et à débattre de différentes idées. Ici, nous fonctionnons sans chef. Celles et ceux qui possèdent un talent pour coordonner un groupe n'ont pas de statut plus important que les autres. Chacune et chacun trouve sa place. Nous avons assisté, certes, par le passé, à des conflits violents dans la communauté, dus à l'absence de hiérarchie. On ne passe pas si facilement d'un milieu où nos actes et nos paroles nous sont dictés à un autre où nous devons nous-mêmes déterminer les limites de notre propre liberté. Peu à peu nous nous adaptons et apprenons de nos erreurs. Les changements se font au fil du temps et il nous faut être patientes et patients.

Le jeune homme se rassoit. Plusieurs anciennes et anciens hochent la tête avec approbation. Kirmae sent, depuis quelque temps, que quelque chose a changé dans le comportement général et que ce changement s'imprime également chez les nouvelles arrivantes et nouveaux arrivants. Une sorte de respect mutuel qu'elle n'avait jamais ressenti aussi profondément auparavant.

Une vieille femme se lève.

- Un groupe de résistance est présentement en train de se former, dit-elle d'une voix calme. Il ne nous suffit plus de vivre en retrait et d'appliquer certains principes. Nous sommes maintenant assez nombreuses et nombreux dans toute la ville et dans plusieurs autres villes pour nous opposer et, nous l'espérons, faire tomber le régime. Nous

nous sommes longtemps entretenus à propos des meilleurs moyens pour y arriver et des stratégies sont présentement en train d'être mises au point. En cette période où une grande partie de l'armée du pays se trouve au front et où il devient évident que nous avons atteint les limites du supportable autant du point de vue de l'oppression que du partage des richesses, beaucoup d'entre nous se sentent prêtes et prêts à agir. Il est, selon moi, bien triste que nous ayons attendu d'atteindre ce point pour nous soulever. Mais mieux vaut tard que jamais. Et celles et ceux qui souhaitent se joindre à nous seront grandement apprécié-e-s.

À ces mots quelque chose roule hors de la fissure par laquelle Kirmae vient d'entrer. Elle met quelques secondes à comprendre qu'il s'agit d'une bombe lacrymogène et, étant la personne se trouvant la plus près, se lève et donne un violent coup de pied à l'objet fumant pour l'envoyer de l'autre côté du mur. Avec une pointe de satisfaction, elle écoute les exclamations de surprise de l'escouade policière se trouvant de l'autre côté. Puis, une idée la remplit d'horreur : c'est elle, sans doute, qui a été suivie malgré ses précautions.

Après un instant de stupeur, tout le monde se lève avec une nervosité contenue : cette situation avait déjà été prévue. On veillait toujours à ce que leurs lieux de vie provisoires possèdent deux sorties au moins. Un groupe de quatre volontaires, dont Kirmae, se dirige rapidement vers le fond de la salle pour saisir une grande pièce de bois qu'ils s'empressent d'aller appuyer contre la fissure, laissant ainsi le temps aux autres de s'échapper par l'autre ouverture.

Lorsque la salle est vide, les quatre qui restent lâchent prise et se précipitent vers l'autre extrémité de la pièce pour s'enfuir à leur tour. Il était temps ! Les violentes secousses exercées par les flics étaient déjà difficiles à contenir.

Alors que Kirmae, qui ferme la marche, s'apprête à se faufiler par le trou, une détonation se fait entendre. Elle a à peine le temps de ressentir une intense douleur à la tête puis tout devient noir.

*

Les trois autres, Victor, Liliana et Flogane tentent d'abord de tirer le corps de Kirmae par l'ouverture. Puis, apercevant l'énorme trou laissé par la balle à l'arrière de son crâne, elles et ils se résignent à l'abandonner et s'élancent dans le tunnel, des larmes plein les yeux et une rage immense au cœur.

L'après-demain

Youri Andreïevitch

Je me souviens très bien qu'il ventait ce soir-là : je sentais l'air s'engouffrer avec férocité dans mes cheveux tandis que je levais les yeux vers un ciel dénudé d'une profondeur majestueuse. Nous étions tous quatre réunis au chalet que notre contact avait loué dans un coin reculé des Laurentides. Commodément situé, pour s'y rendre il fallait emprunter plusieurs petites routes très peu fréquentées qui serpentaient au sein d'une épaisse forêt aux couleurs chatoyantes d'automne, jusqu'à un petit lac que le chalet dominait. De taille moyenne mais d'aspect rustique, il convenait d'autant plus à notre exil que son allure relativement discrète et surtout le peu de curiosité du rare voisinage nous assuraient une tranquillité bienvenue. Quant à ces routes, elles étaient si étroites et dangereuses que pour nous elles convenaient parfaitement.

Debout sur le balcon arrière donnant sur l'étendue d'eau parcourue de rides, je regardais les arbres danser silencieusement au rythme des bourrasques et, tout en rougeoyant ma cigarette, je repensais à ce qui nous avait menés ici : à cet instant précis, ce point de non-retour que nous avions franchi et qui dorénavant nous empêchait, pour le meilleur ou le pire, de faire marche arrière retrouver une vie passive et muette que trop considèrent normale.

Du coin de l'œil, mon regard obliquait par-delà la verrière vers Ève, assise auprès du foyer. Le reflet des flammes vaguait le long de sa chevelure de bronze retombant sur son dos courbé. De son visage long et gracieux, l'on ne pouvait qu'être hypnotisé par l'émeraude de ses pupilles, elles qui en ce moment se perdaient dans le feu. Elle avait déposé sur ses jambes croisées ce livre dont je lui avais fait cadeau il y a quelques années lors d'une de ces soirées qui vous restent coincées dans l'esprit. J'ai rencontré Ève durant mes études. J'habitais alors dans les résidences étudiantes, au quatrième étage d'un imposant bâtiment en brique dans un appartement bricolé à partir de six chambres et d'un salon commun. On aurait pu aisément comparer l'édifice à un HLM, et de surcroît à l'esprit qui y régnait : une sorte d'essence prolétaire habitait ces lieux où chaque bric-à-brac rapiécé avait son utilité et où la débrouillardise était érigée en véritable art de la survie. Malgré toutes les contraintes que nous avions, nous arrivions à passer du bon temps. Cependant que les administrateurs à l'esprit étroit encore engourdis de réflexes cléricaux tentaient vainement de combattre la promiscuité des sexes par la non-mixité réglementée. Ainsi, les filles avaient leur propre bâtiment, en face du nôtre, par-delà un immense rocher qui occupait l'espace entre nous. C'est sur « la Roche » que nous festoyions lors de ces belles soirées dont nous avions le secret. C'est aussi là où j'ai parlé à Ève pour la première fois. C'est elle qui vint à moi. Intrigués l'un par l'autre, nous veillâmes tant et si bien que toute la nuit défila sans égard au temps. Nous ne nous séparâmes à regret au matin que pour aller à nos cours. Par la suite, nous répétâmes le manège dans nos appartements, prenant plaisir au passage à ainsi fouler du pied les règlements arriéristes de l'administration. Nous sommes devenus très proches, mais jamais nous n'avions pu vivre alors ce qui maintenant, après l'irrémédiable, nous liait :

un embrasement spirituel, un détachement du faux dans une exploration révolutionnaire du vrai. Cette communauté de cœur et d'espoir, nous l'avons plus tard tous vécue à notre manière et cependant toujours dans une même perspective. Nous nous exilions et laissions derrière le vieux monde délabré ; dans la destruction nous créions un avenir se laissant entrevoir et frôler. Après l'élan initial du fanal révolutionnaire j'en voyais encore les braises crépiter dans les yeux d'Ève et des autres.

Je rentrai finalement après avoir consciencieusement écrasé ma cigarette dans le cendrier de porcelaine. L'ultime volute de fumée bleutée me suivit alors que j'ouvrais la porte et la glissai à ma suite. Les autres discutaient ferme dans le salon jouxtant le foyer.

« C'est vraiment un travail d'amateur ! On était d'accord pour ne pas utiliser des charges aussi fortes !

– Calme-toi, Alex. Finalement, c'est aussi bien comme ça : on a fait d'une pierre deux coups. Ils l'ont senti passer et c'est tant mieux.

– Je suis d'accord avec Ève », ajouta sèchement Ian.

Je restai à les écouter débattre quelques minutes, puis me dirigeai vers le téléviseur pour le régler au bulletin de nouvelles. On parlait encore de nous. Sur un fond sonore sinistre défilaient nos portraits. S'ensuivait une brève biographie de chacun de nous, accompagnée des commentaires érudits des plus « expertisables » invités de l'heure. Alexandra fut la première à réagir à ces inepties qu'elle qualifia promptement de débiles. Alors qu'elle invectivait l'appareil, nous voyions sa joue droite trembloter, signe de sa nervosité. Comme à son habitude elle tentait bien maladroitement de cacher son inquiétude. Je la comprenais : nous ne nous attendions pas à un aussi rapide dévoilement de nos identités et, bien que les intentions que ces pontes du spectacle nous attribuaient aient été prévisibles, assister impuissants à ce procès médiatique nous rendait malades de rage. Le défoulement à l'encontre des terroristes ne saurait être entrecoupé que par les publicités : deux minutes de haine puis cinquante secondes à Coke. Tout se vend et jusqu'à soi-même.

Quant à Ian, sortant de sa réserve habituelle, sa barbe fournie trémoussait à mesure qu'il vilipendait les réactionnaires de ce monde ; son regard s'adressant tour à tour à l'un et à l'autre dans une frénésie vengeresse. Je pouvais ressentir sa colère comme si elle était mienne. Après tout, n'avions-nous pas fait tous ces efforts, tout sacrifié, afin de libérer les autres ? Où étaient les déclarations d'appui ou de solidarité ? Aussi isolés nous sentions-nous, la lutte porte en soi cette dimension de rapprochement des subjectivités dans une collectivisation des sentiments. Ainsi, Ian compléta-t-il ma pensée :

– Qui de nos compagnons et de nos compagnes va comprendre la portée de notre geste ? Si l'apathie triomphe alors nous avions perdu d'avance.

Il se laissa choir sur le divan, affichant sur son visage un air désespéré. Alex le regarda longuement tandis que l'on pouvait distinctement entendre le craquement du bois brûlant dans le foyer. Le silence se faisait aussi lourd que notre peine. Je pris une gorgée de vin à même le goulot pour faire passer le ressentiment qui naissait dans ma trachée. Ève, alors, ouvrit son livre. Défilant quelques pages elle sourit brièvement en arrêtant son doigt sur la plus cornue d'entre elles. Elle commença à lire :

« J'ai longtemps maudit mon impuissance et le temps, qui semblaient s'exercer à me faire chuter toute ma vie durant.

Aujourd'hui que leur triomphe est total ; que ma liberté m'a été arrachée, je ne peux que me souvenir qu'après toutes ces longues années, l'oppression continue d'être combattue. Que dehors, il y a des gens qui se battent encore et toujours, des personnes qui se sacrifient pour les valeurs les plus nobles qui soient. Mes pensées traversent les barreaux de ma cellule et volent vers elles. De Montréal à Toronto, de Vancouver à Berlin, de Paris au Chiapas, en passant par Athènes, ce sont des êtres animés d'une détermination sans faille et, armés de leurs rêves, brandissent le flambeau de leurs vies, seules révolutionnaires. Leur résistance ne s'éteindra qu'avec le feu qui la consume. La révolte brûle dans nos cœurs et nos esprits : nous sommes la révolution. Ils peuvent nous emprisonner, mais ils ne pourront jamais nous changer. Ils essaieront de nous divertir, ils n'y arriveront pas. Ils essaieront de nous terrifier, ils n'y arriveront pas. N'ayons pas honte de ce que nous sommes ; ce devrait plutôt être notre fierté.

» Ce sont nos vies à tous qui tombent sous leurs balles et notre liberté qui flanche sous leurs coups. Nous naissons, travaillons et mourrons enchaînés. Pire que tout : nos liens sont notre consentement. Le spectacle de notre déchéance quotidienne est aussi violent que la répression de nos soulèvements. Je suis emprisonné, c'est vrai, mais je suis l'anonyme multitude. Les barreaux qui nous enferment ne peuvent plus retenir nos idées et nos espoirs ; ils n'ont jamais pu. Il nous faut réaliser l'Anarchie, rien de moins. C'est pourquoi mon dernier souffle de liberté est vôtre. »

Liberté... Le mot, en soi, est plutôt banal. Mais ce dont il faisait écho en nous était tout simplement indéfinissable. Par cette simple citation, Ève avait réussi à nous rappeler que, malgré tout, même dans nos défaites, notre victoire vit toujours, quelque part. Alex bondit de sa chaise, sans doute ragaillardie par cette idée, et se dirigea vers la chaîne stéréo. La musique qui en sortit nous enveloppa, étouffant l'angoisse agonisante. Elle se mit à danser d'une énergie renouvelée ; son corps mouvant était notre révolution renaissante. Ian la rejoignit bientôt et tous deux s'entrelacèrent plus tendrement à chaque note cependant que je me levais pour aller retrouver Ève. Nous regardâmes un temps nos amis bouger comme s'ils étaient des extensions de nos propres corps, puis nous nous retirâmes dans la chambre à coucher au fond de l'angle que formaient le mur du salon et la salle à manger. La pièce était petite, mais confortable. Un arrangement spartiate, consistant en une étagère, un petit banc et un lit, permettait d'y évoluer librement. En outre, une fenêtre éclairait la chambre de jour tandis que la nuit la lumière était plutôt tamisée. Ève ferma la porte de bois derrière nous, se retourna et s'approcha lentement de moi pour enfin me prendre dans ses bras.

– Embrasse-moi, chuchota-t-elle à mon oreille.

Ce que je fis de bon gré. Mes mains redécouvraient avec plaisir sa peau chaude et parcouraient sa silhouette en s'attardant délicieusement aux formes qu'elles y trouvèrent. Nous nous cherchions l'un l'autre par nos baisers aveugles, s'étourdissant ensemble d'un désir muet. Mon pouls se débattait de plus en plus pendant que dans mes veines affluait le sang, devenu lave. Nous enlevâmes nos vêtements comme s'ils eurent été des lambeaux du vieux monde à abattre et, dans la splendeur de ce désaveu, révolte et passion se rejoignirent encore comme toujours.

Révélés l'un à l'autre, nus et véridiques, nous trouvâmes le lit témoin de notre amour. J'embrassai son corps en me guidant de ses frissons et j'y jouai un peu avant de me rendre vers le centre de son plaisir où je trouvai les fruits de l'abondance. Je m'y attardai quelques instants avant de me délecter à nouveau de ses lèvres aventureuses. Notre union se fit dans la plénitude du partage et le désordre envoûtant des caresses et voluptés. Je plongeai mon regard dans ses yeux à demi-clos tandis que la jouissance du moment nous prenait tous deux. *Je t'aime*, pensais-je tout haut.

Nous nous réveillâmes le lendemain dans la clarté de l'aube. Je fus le premier à sortir des rêves. Je regardai un moment le paisible sommeil persistant d'Ève tout en caressant doucement ses cheveux et, sans que je puisse m'en empêcher, en embrassant un peu ce cou que je venais de dénuder. Son odeur m'enveloppait agréablement, mais sur le point de la rejoindre dans l'onirique, celle-ci ouvrit les paupières et me demanda l'heure d'une voix pâteuse.

– Il est déjà bien assez tôt, dis-je. L'Humanité ne sera véritablement heureuse que lorsque les matins auront cessé d'exister.

Elle me gratifia d'un tendre sourire complice, comme elle avait l'habitude de le faire après que j'aie récité ma phrase fétiche. Nous nous habillâmes en silence avant de passer à la cuisine faire du café pour tout le monde. Comme elle, je prenais le mien accompagné d'une cigarette. Aussi traversions-nous le salon afin de se rendre sur le balcon arrière. Nous dûmes éviter les corps de nos deux amis étendus l'un près de l'autre à la chaleur des quelques braises encore vivantes du foyer et fîmes bien attention à ne pas les réveiller lorsque la porte coulissa. Une fois dehors, nous eûmes le plaisir de voir la beauté du paysage. Le lac étincelait de ce qui semblait être des larmes de soleil. Assis sur le bois légèrement humide malgré l'agréable chaleur qui régnait, j'enlaçai Ève qui en retour posa sa tête contre mon épaule.

« C'est magnifique, dit-elle. Je ne peux pas croire qu'après tout ce qui est arrivé nous pouvons encore admirer de telles choses.

– Tu sais Ève, c'est peut-être la dernière fois que nous pourrons le faire. Les flics approchent et pour être franc, je ne sais pas combien de temps nous allons éviter la prison... voire pire.

– Crois-tu que ces porcs pourraient le faire ; je veux dire, nous tuer ? »

Je haussai légèrement les épaules, tout en sachant bien qu'elle pouvait lire en moi. Impossible de cacher mon amertume.

« J'imagine que c'est possible. Après tout, c'est la base de tout leur système : la violence érigée en institution, un outil dans leur jeu morbide. Ils tuent toujours sous la bienveillance de leurs lois ridicules, même s'ils doivent faire de pitoyables contorsions pour se légitimer.

– Tu sais, ce que j'ai lu hier soir c'est des conneries. Si je dois aller en taule, j'ai peur de perdre plus que ma liberté et d'y laisser aussi la raison, avoua-t-elle, résignée.

– Ève...

– Non ! Je préfère en finir en étant libre, quitte à entraîner quelques-uns de ces enfoirés avec moi dans la mort. »

Elle hocha la tête.

– Tu me trouveras toujours à tes côtés, dis-je le regard rivé sur l'eau. La fin sera aussi grandiose que notre révolte. Mais là, ici, toute de suite, on s'en fout. Je suis avec toi, nous sommes tous ensemble, et nous prenons un peu de repos après avoir fait ce que nous devions faire. Et nous le referons, mieux encore. Sinon jusqu'à ce que nous gagnions, au moins jusqu'à ce qu'ils perdent.

Elle tourna la tête vers moi tandis que je me penchai vers elle et nos lèvres s'unirent contre le monde. Sa bouche ne s'éloigna de la mienne que pour expirer un nouveau souffle qui s'engouffra dans mon cœur :

– Il y a plus à vivre que la misère.

Anarchist short stories

Yippies in Love – The Twittoir

(Being a memoir of the Vancouver Yippies, told in tweets of 140 characters or less.)

Bob Sarti

Hi, my name is Andy. This story starts in 1970, during the Vietnam War. When I got some bad news in the mail: my draft notice.

So I decided to reconnoiter the Peace Arch at the border, where draft-dodgers went when they wanted to sneak into Canada.

Just so you know – I was 20 years old, living in San Diego, college escapee, major Beach Boys fan. I'd been saving up for my '64 'Cuda.

'Cuda is a Plymouth Barricuda, the fastback with 4 on the floor and a 4-barrel carb. Awesome for crusin' the strip.

There I am, hiding behind a tree at the Peace Arch, when this mob from Canada storms past me going the other way, into America.

Chanting *Ho, Ho, Ho, Chi Minh, Vietnam is gonna win*, they overrun the American border post. The guards can't stop them.

Did I mention – it's May 9th? Five days after Kent State – those students shot by the soldiers? And Nixon had just invaded Cambodia?

This protestor marching with a Yippie banner, she calls out to me: 'Hey, c'mon join the party.'

I had heard of the Yippies. Abbie Hoffman. Crazy pranks. The Chicago Seven. But I didn't realize they were in Canada, too.

The crowd was marching the wrong way, but that Yippie had such a nice smile. Oh well, I stepped from behind the tree and joined them.

We marched into Blaine, Wash. It was a one-horse burg. A protestor threw a rock through a bank window. Some greasers spotted us.

I tried to blend into the crowd. Didn't want to get beat up. A U.S. flag was torched.

Just then a train carrying new cars came through. People started throwing rocks, breaking windows. I picked up a rock.

Then I thought of that 'Cuda. If I trashed a new car, it might be bad karma. And I wouldn't get the 'Cuda. I dropped the rock.

Now cops were swarming all over us. The Yippie, she grabbed my arm, said, 'Come with us.' I wondered if she was a cop herself?

She read my mind: 'Don't worry, I'm not a cop. My name is Julie.' She pulled me into the middle of the Yippie throng.

We were approaching the border. I stuck close to Julie. Maybe with all the confusion I could slip past the Canadian border guards.

It was a longshot, but what choice did I have? Julie told me to just keep going. The American cops couldn't follow us into Canada.

Up ahead were even more cops, with a movie camera. 'It's just the Mounties, filming the crowd,' said Julie. 'Keep going.'

We passed the Peace Arch. There were cops in front of us and cops and greasers in back of us. I asked Julie, 'How far to the border?'

'You just crossed it,' she said. 'You're in Canada. Congratulations.' Well, goodbye Uncle Sam. Hello Trudeau. Yippie!

***

When I first got to Vancouver, I crashed on the beach and then in fleabag hotels on Skid Road. It was a long way from San Diego.

But I needed to get settled to be accepted as an immigrant, or I could be deported. I paid a visit to the war resisters' office.

The war resisters settled me in a hippie rooming house in Kits, and in a job in a print shop run by peaceniks. Respectability.

But I was lonely. I missed my family. Then one day, I visited the Be-In in Stanley Park, and whom should I see there but Julie!

She was handing out free food to the hippies. She seemed glad to see me, even invited me to help ladle the soup.

And we gave the hippies free legal advice cards, too. How to avoid being arrested. I guess that made me a Yippie legal expert.

Afterwards, we went over to the Yippie picnic. Julie introduced me to her friends. And her baby girl, Angela. Yes, her baby.

I told Julie she looked like that chick in Mod Squad. She said not to use the word chick. Nor girl, either. I had to say woman.

And Mod Squad was a no-no, too. 'It's a bummer,' she said. 'Narcs posing as hippies to bust hippies.' She sure had her opinions.

Then the announcer told everyone to hug the person next to them and feel the love in the air. Julie grabbed hold of me!

She squeezed me and I squeezed back. I don't know if I was feeling the love – but I was definitely feeling a very strong like.

Then Julie asked me what was I doing next Saturday? I'm thinking, hoping, maybe she digs me. Stranger things have happened!?!

But no, she wasn't coming on to me. She said Saturday was the Oakalla Prison Be-Out. I knew what a Be-In was, but what was a Be-Out?

'It's fun,' she said. 'We have a joint-rolling contest, play spot-the-narc-in-the-crowd, then free all the prisoners from jail.'

I wanted to avoid trouble – might get busted and deported. But maybe I would risk it – as long as she was going to be there.

We started marching toward the prison, 200 of us. The yard had a ten-foot fence. A Yippie in a wizard suit chanted, 'out demons out.'

People grabbed the fence and rattled it. It started to wobble. I wanted in on the action, but I was nervous. Julie told me, 'Just do it.'

I took hold of the fence and started shaking it. All of a sudden, it just toppled. We stepped across, onto the prison grounds.

As we were singing and dancing, the cops arrived. They started advancing our way, their riot sticks aimed at us. It was getting serious.

We pulled back across the fence. The cops and guards marched up to the fence and then stopped, to face us. It was a standoff.

I asked Julie, what should we do now? She told me, 'We split. Yippies are into hit-and-run, not pitched battles.' Whew!

Back at Julie's house, it was a party, celebrating the glorious people's victory. Later, everybody went home, except me.

Julie told me I did real good for my first Yippie outing. Pretty soon, we were necking. I was really starting to dig her.

The next morning, I told her she was the only one for me. She lectured me about being possessive. Guess I had a lot to learn.

***

You might ask: what was the difference between Yippies and hippies? Well, Yippies were political hippies. Direct action, pranks, revolution.

Yippies had no leaders or bureaucracy. You couldn't smash the State that way. It had to be with a change of consciousness.

Society would be organized without authority: co-ops, collectives, communes, federations, free stores. Anarchy, but not chaos.

We were against bourgeois elections: vote for Nobody! But we got involved in the mayoralty race. It was a chance to rip off some media.

Julie's friend Bernadatte was our candidate. She was very shy, but we talked her into it when she was stoned.

Actually, she was highly qualified to be mayor: She was a woman, a single mother, a hippie, a Yippie, a freak - and on welfare.

And an ex-con. For blocking a freighter shipping bombs to the States for Vietnam, she had gotten six weeks in Oakalla.

Her platform: give Hudson's Bay Co. back to the native people; replace parking lots with parks; all stores to be free stores.

And if that wasn't enough goodies: Repeal the law of gravity, so everybody could get high.

Bernadette's main opponent was Mayor Tom (Terrific) Campbell, a real hippie-basher. She challenged him to a boxing match at City Hall.

When we showed up at City Hall, Tom Terrific came out to meet us. Bernadette handed him a pair of boxing gloves.

She told him: 'There has been too much mudslinging and not dealing with the facts. If you want a fight, let's get it over with.'

Tom called us a bunch of pot-heads. We said he drank booze and that his friends were crooks and polluters.

The next day's headline: 'High noon challenge – Mayor refuses to tangle with Yippie.' See what I mean about ripping off the media?

Bernadette got 800 votes, coming in fifth out of 12. Tom Terrific was re-elected, though. Then things started getting heavy.

Undercover cops were growing their hair long and busting people in Gastown for drugs. Tom Terrific was egging them on.

It was like a declaration of war against the counter-culture. We took it personally. We had to do something about it. But what?

Some Yippies (mostly the guys) wanted to do a mass public toke-up right in the middle of Gastown – civil disobedience.

But the women worried that this would give the cops an excuse to wade in with their big new riot clubs. We'd be sitting ducks.

We debated for hours, but we couldn't think of anything better, so we settled on the Grasstown Smoke-In And Street Jamboree.

The Smoke-In started out great – drumming, chants, snake dances. Even the tourists and straights were joining in.

I climbed up on a fireplug before 2,000 people and made the first speech in my life, robustly denouncing the cops and the mayor.

'Here's a message for the cops,' I bellowed. 'Gestapo tactics won't work. This is our turf. The streets belong to the people!'

Then I set fire to a copy of the Criminal Code of Canada. 'If the police don't follow their own laws, why should we?'

I got a standing ovation, shouts of 'right on', 'free dope' and 'power to the people.' That's when the cops made their move.

Without warning, they rode in on horseback, bashing heads, running down people and dragging them off.

It was chaos. People screaming, hiding in doorways, running away.

Then the riot squad attacked. In full gear, but with IDs hidden. Swinging clubs wildly, picking off and busting bystanders.

All of a sudden, a mounted cop took a bead on Julie and me. We ran into a construction site to get away, but he followed us in.

I picked up a brick and threw it at the cop. It narrowly missed his head.

He turned around and headed back to the street. I was relieved, but Julie was mad at me. 'You could have killed him,' she said.

'It was him or us,' I shouted. 'He would have bashed our heads in if he had a chance. Anyway, I've seen you throw rocks.'

'Yes, I have, but at bank windows, at property,' she said. 'Not at people.' She repeated, 'You could have killed him.'

We had to agree to disagree. There was too much work to do – 79 arrested, tons injured. Luckily, none of our friends were hurt.

We bailed out the arrestees and brought them to a news conference to tell their stories. It was a real black eye for the police.

But then came Act Two of the Gastown Follies. A Commission of Inquiry, pretending to investigate police misconduct.

I thought it was a chance to expose cop tactics. But Julie worried it could become a witch-hunt against the organizers – us.

She was right! Police witnesses portrayed Gastown as a wild, lawless place and the Yippies as violent and hostile to authority.

One cop testified, 'The Smoke-In was an unlawful assembly, a disaster waiting to happen, an unholy conspiracy of radicals.'

Some conspiracy; we published it in the newspapers beforehand. Of course, the cops never witnessed any police brutality.

Then to my shock, Julie and I were subpoenaed to testify. Probably because we had written an article for the *Georgia Straight*.

On the stand, Julie was so cool. She said the Smoke-In was peaceful civil disobedience. It was the cops who were violent.

The cops' lawyer wanted to know who had organized the Smoke-In. Julie clammed up, claiming press privilege as a *Straight* writer.

I could see Julie going to jail for non-cooperation. The judge hemmed and hawed, but finally granted her press immunity. Whew!

The judge's final report blamed the cops for over-reacting, but Julie and I were officially branded dangerous troublemakers.

We figured the cops at least would be restrained for a while. Whereas, we would just keep doing what we were doing.

***

One day, Julie hit me with a bombshell. She was leaving the collective, moving out of our collective house and into an all-women's house.

Of course, it was a huge bummer for me. But Julie said we would still have our thing together. She would visit me regularly.

I guess I should have seen the signs. Lately, she had been spending more time with women's groups, and less on Yippie stuff.

And that wasn't the only thing changing. It wasn't the same movement anymore; you know, for pot, long hair and rock 'n' roll.

People were doing their own thing. Red Power, Black Power, Quebec Power, all kinds of power, Gay Rights, the Rainbow Coalition.

And Greenpeace sailing out to stop the bomb tests. Now that was theatre! Some of them even said they were inspired by Yippies.

Why couldn't we do stuff like that ourselves? Julie said we could – there was a little problem now that required direct action.

A developer wanted to build luxury condos next to Stanley Park. The public was against it, but the mayor was going for it.

Early one morning, we invaded the site on Georgia Street and laid out a garden and a playground. It was a People's Park.

The cops arrived and arrested seven people. But it was a standoff. They realized they couldn't run amok – not after Gastown.

The NDP endorsed the occupation – its first time cozy with the Yippies. Then the old hippie-bashing mayor Campbell showed up.

'This is a breakdown in society, a sad weekend in Vancouver's history,' he declared. Of course, we just laughed.

Pretty soon, all sorts of longhairs started arriving, making themselves comfortable and creating a permanent tent city.

Finally, the developer threw in the towel. The park was saved. The mayor didn't give us any credit. But what else was new?

***

It had been two intense years. No way could we continue at that pace. We gathered for a final dinner in our collective house.

It was like commencement day. We all started talking about plans for the future. Some were going back to the land or into other groups.

With Corky now in daycare, Bernadette got a job in the post office, driving a forklift, burrowing into the proletariat.

The Wizard was setting up a primal therapy centre – rubber-walled rooms, where you could relive all your childhood traumas. Rosebud!

Now that Angela was in daycare, Julie started working full-time at the women's health collective. A regular paycheck!

Me – I went back to school, got a law degree. Now I'm the champion of lost causes.

You know, the streets, the courtroom. It's all theatre.

The Police Pimp

Bruno Massé

"Jesus Christ, Dave," yelled Goober from the revolving doors to the Service Office, your typical government building. "Take your old sweet time then, why don't you?"

My cred chip fell noiselessly into the beggar's crumpled fedora as I walked away. Something like a muffled thank-you echoed as I strode up the stairs.

"Yeah Dave," doubled K in earnest, "got to stand in line, remember?"

Idiots. I *had* to give the poor man something. Old wino was guzzling from a bottle of White Lightning. Ever had that? Hell, I did once – and only once. Foul stuff. Stings like hell going down the pipes, but I can tell you, what it feels like coming back up, that just ain't right.

"Quit stalling," insisted a rather giddy Goober, "it's gonna be fucking awesome!"

"Alright mates, we can go," I apologized, and in we went, the three of us, right into the Service Office of the Ministry of Social Affairs.

Then we saw the crowd.

"Oh, fuck me sideways," blurted K.

The queue, as it happened, stretched a solid hundred meters. Everyone lined up in rows like domino pieces. I could barely make out the check-in desk, but it looked an awful lot like an airport: dozens of security guards, metal detectors, full body scanners. And the rest of the office was equally foreboding: concrete floor, carpeted walls, cubicles on every side.

What a shit plan.

"All that just to get our dicks wet?" complained Goober.

"Yes, and quit whining," argued K as he reached for three registration forms. "It's totally worth it, mates. Besides, I'm the birthday boy. So it's my show."

True, that it was, and as a manufacture of bad ideas, K had just signed a masterpiece. Goober was in because he's a few notches south of a horny goat, and doesn't know shit for shit. And I was in, 'cause K had talked me into it.

Yeah. And I'm an idiot.

"Didn't that used to be illegal, though?" I risked, "I mean, sex for money. If it was such a bad thing to begin with, why'd the government get into it?"

"Still is illegal, dumbass," answered Goober, "outside of regulation. Not that it matters. Black market died down the second the State took it off the streets and into these Service Offices. Whole thing standardized, with the fuzz in charge. Can't compete with that. And from what I read it used to be dangerous shit anyway, bugs and guns and smelly crap. Now it's cleaner, healthier."

"And taxable," noted K, scribbling on the form. He was a regular.

"Figured," added Goober, "'if you can't kill it, you better fucking own it'. And then there's the whole principle of the thing."

I didn't get it. "What do you mean? What principle?"

K answered, looking down at the piece of paper.

"Fucking," he said, "is a basic human right."

I took a closer look at the form to distract myself from the conversation. The thing was five pages long. Smallest print you could imagine.

"Jesus," I blurted out, "I don't know, K. This is too complicated. Let's just get a pint, man. My treat."

"Come on," he countered nonchalantly, yanking the form from my hands. "I'll fill it out for you. Let's see… right. How much did you rake in last quarter?"

"Damned if I know. Fuck man, what does that have to do with, you know…"

"Pussy?" said Goober.

"Sex, I mean."

"Whatever," K shrugged. "I'll start at the bottom. Let's see. Oh, yeah, this is a good one: 'Have you ever had unprotected anal sex with a male partner? Yes, no, not sure?'"

I cringed. This was getting personal.

"Wait," he cut in before I could answer, "says here unprotected is defined as 'failing to comply with T.04-B standards and/or certified 3rd 87 grade.'"

"Fuck that," I tried unconvincingly. "Let's just get out of here."

"Damn," blundered Goober, oblivious to what I suggested. "I'm hard already."

* * *

David Malone, age 31. Single.

Three hours later and we'd made it through the first check-in and scanners, then parted ways. I was stuck in a private cubicle with the Assessment Officer – a crew-cut fifty-something pile of executive flair who was reading me my own life on a holoscreen. K and Goober must have been going through the same thing, somewhere else.

"Part-time window-cleaner… No insurance. No retirement plan. Prosecuted for a small misdemeanor back in 2023 – case settled out of court. Blood type A positive. High cholesterol, but otherwise no major health problems."

Fluorescent tubes buzzed overhead and I was fighting down the urge to bail out. Too late to run, though: I'd never hear the end of it. Plus, there were security drones everywhere. Biometric scans would interpret high levels of stress with force, the kind you didn't want to be on the receiving end of.

That, and the guy had already swiped my cred card. I was getting fucked already.

"You've been living alone at 483 Stanley Drive, unit 904, for almost six years now, own a cat named Raoul, and…" The bureaucrat's gaze suddenly lit under the folds of his eyelids. "Says here your MMI – monthly masturbation index – is at 5.5."

Now how would they…

"Can I go already?" I risked, thoroughly embarrassed.

"Mr. Malone," began the Assessment Officer as he placed both hands on the desk, "please. We must follow due procedure."

"Well, what's the problem?"

"Your MMI. The aggregate projections for a person of your type are estimated at 12.8."

"Listen, I don't know what –"

"Please," he countered paternalistically, "being subnormal is nothing to be ashamed of. Have you filed a claim of malfeasance with the Bureau of Central Health? You *could* be eligible for subsidized Services."

A tax cut?

"Maybe next time," I shrugged.

"I'm afraid you don't understand," insisted the Officer. "Any and all behavioral sexual dysfunctions must be reported to the Assessment Officer for processing. Did you not read the Transparency Clause? This is your signature here, isn't it?"

He waved the form around like some kind of magical wand.

"I don't," I started, "I'm not… dysfunctional."

The bureaucrat brushed it off. "Right. I'll just make a requisition on your file, then, Mr. Malone. You now have 48 hours to check into your nearest BCH for a psychosexual diagnostic. I don't have to tell you it's – "

"Mandatory, I know."

Damn you!

"Everything else looks in order," he concluded, satisfied. "I will direct your case to the next available Field Agent."

"Wait," I surprised myself to say, "don't you want to know stuff, like…"

"Like what?" he said.

"Like, I don't know… my, you know, preferences?" The Assessment Officer blinked. Once. Twice. He let out a deep sigh of boredom, then produced a blue hospital gown and placed it on the desk, followed with two plastic squares – one government-approved condom and a single-use packet of lubricant.

* * *

"Fuck it's cold."

Room 47. I'd been standing here like an idiot for almost an hour, naked but for the acid-washed gown that wouldn't quite close in the back.

It was a small place, with a desk but no chairs, and a single bed with a white vinyl cover. Everything smelled of bleach. Pinned on both doors, a plasticized poster read the seventeen guidelines in bold print. But I hadn't quite paid attention. There was a bright holoprojection on the rear wall, this zoom-in of the same repeating sequence.

Cock in cunt. In and out, mechanical.

And in. And out, hypnotizing.

And in… and out…

The sudden *chlunk* of the door lock caught me off guard and I twitched back defensively. As my pulse raced madly, the Field Agent came in.

Jesus Christ, I thought. *Jesus fucking Christ.*

She was wearing a disposable one-piece plastic suit, basic blue, with a single zipper running down the front. Her stare focused on the pad in her palm, scrolling through my file with her thumb. In the same motion she started peeling off the suit, distractedly.

"Mr. Malone," she spoke in a monotone voice. "How are we today?"

In a second she was naked, the plastic in a bundle at her feet. And there I saw: kneepads. She was wearing kneepads!

"My name's Natalie," she added, "I'll be your Field Agent today."

My blood turned cold. She had the sort of body you saw on billboards, or the news, or sometimes in government leaflets. Perfectly toned, balanced, symmetrical. Something familiar, like I'd seen her a million times before.

Muscle grafts on every limb, microscopic stitch-marks barely visible after series of micro-surgeries. Gel-injected breasts hung in mid-air like twin globes of rubber, the nipples salmon-pink. Cheek-bone implants. Augmented lips. Depilated by lasers. Hair like a doll's: three different shades of blond.

"Mr. Malone?" she insisted, finally looking up.

The eyes – they couldn't work the eyes. Too expensive. And I realized she was an actual person, though her age was anyone's guess. A bead of sweat rolled down my temple, and I swallowed hard.

"Dave," I tried. "Call me Dave."

Without even responding, the Agent came towards me and went for the clasps at my sides.

Before I realized, I'd taken two steps back.

"Please," I rasped, "can't we just talk… a little?"

Natalie shrugged, no visible expression on her face.

"It's counter-indicated."

"How do you assign Agents exactly?" I went on without permission. "The Assessment Officer wouldn't let me, you know, he said I didn't need to say."

"We have algorithms," she stated, going for my gown again.

"Natalie," I yelped defensively, "please, I'd just like to talk, no one needs to know."

The Agent retreated to sit on the bed, legs crossed. Her tone hinted at concern as she waved one hand around. "Don't you see the cameras?"

Jesus, I thought, *she's right. They're everywhere.*

"Well ok," I chanced, "then how about something else. I don't know, just a massage maybe?"

To which she merely replied, "That's extra."

"Great," I blurted out. "Then let's do that!"

I found a way out!

"You don't understand," she said dispassionately, "you checked in the box for Regular Service. To modify your invoice, you have to go back to the Assessment Officer."

"You mean, wait in line again?"

"How else?"

I kept searching through her eyes to find something human, and there it was: pity. For herself, perhaps. Or maybe for us both.

"Listen," she started, "close your eyes, let me work."

And I tried to comply, I did. I just wanted to go home. When she came forward again, I didn't move, just stood there as she knelt down in front of me and raised the gown above my waist.

Calm down, I thought, eyes shut tight. *This'll be over in a flash.*

But all I could think of was how smart and convenient it would be for a Field Agent like her to be wearing kneepads, to think of putting them on in advance, and how that was something nobody would ever plan if they actually *wanted* to have sex.

"So," I heard with a hint of exasperation, "what's wrong with you exactly?"

I opened my eyes to see Natalie looking up, inches away from my very flaccid cock.

She added, somewhat bored, "There was nothing on your file about a behavioral dysfunction."

Too late I realized what she was referring to.

"I'm not dysfunctional," I argued without thinking. "It's just…"

The Agent was up and moving before I could finish that sentence. A terminal on the desk lit up and she quickly logged in.

"What are you doing?" I blurted out, straightening my gown in a vain effort to keep myself together.

"I have to report this," she stated firmly. "You'll have 48 hours to check in to your nearest –"

"I know, it's in my file already. Listen," *I can't stay here!* "I have to go, alright? I'm sorry, keep the creds, I don't care anymore."

But the Agent looked at me blankly.

"We're not done, Mr. Malone."

I wanted to scream.

"Why?"

"Well," she merely shrugged, like it was the most obvious thing in the universe. "You need to ejaculate."

"I'm going," I mumbled defiantly, reaching for the nearest door. "*I'm going.*"

And the Field Agent turned back to the terminal, punching sequences on the numpad. LEDs lit up like a rainbow. Somewhere, half a dozen cameras started buzzing.

* * *

And then I was running.

Cubicles flittered by, and doors and hallways, bureaucrats in grey suits jumping in shrieks of terror, with coffee cups and sheets of papers all poised mid-air as I ran at bullet-speed, my bare butt exposed to the world.

I didn't know where I was going. There were letters on signs and neon arrows but none of that registered. My instincts were driving me through the labyrinth, hooked on the faint scent of freedom.

Fuck Goober, I thought, *yes, and to hell with K, and if it means doing shit you don't want to do, then fuck birthdays too!*

When I burst into the main waiting line, I thought I was in the clear. Hundreds of staring eyes welcomed me like cattle grazing in the distance.

But those security drones had clocked my case around the bend and two dozen guards were homing in quickly, boots storming out of hallways like tanks.

Then I saw the revolving doors, filled with the light of day.

It was so beautiful.

Suddenly, something hard crashed into the back of my knee and I fell in a heap of hospital blue. A searing pain went up my thigh and I recoiled in shock.

"*Argh!*"

Ten square faces stared down emotionless, telescopic batons raised like antennas, sunglasses reflecting back the sight of a withered wretch on the carpet floor.

"Why are you running?" one said, voice cold as iron.

"I… I don't know," I started out, in pain. "Why'd you club me?"

"You were running," he replied.

When the guard reached for his belt I knew I was done for. He pulled out a small piece of paper.

I looked up in disbelief.

"Your receipt," he said.

* * *

I managed to limp out of the revolving doors and down the stairs, the hospital gown flowing in the wind. But for all the strangeness of the thing, I couldn't care less.

"Heya, boy," croaked a familiar voice, "changed your mind there, did you?"

It was the old beggar with the fedora. He was smiling at me, a smile like the rising sun. There was a fresh bottle of White Lightning in his gnarled, grimy hands, and he held it out in my direction.

I sat down next to him, tears running down my cheeks.

"Jesus," I mumbled, "Jesus fucking Christ."

"Eh," the old man snarled, "don't worry, son. It happens."

I raised the bottle to my lips. "Does it really?" I asked, wincing from the acrid taste, then took another swill.

"Oh," he muttered, looking away, "you'd be surprised."

A Perfect Match

Danny Vivaelpaca

She made her way to the 36th terrace as they had always done – from there the view over the valley was gorgeous at the midday sun when Panchamama did her thing. The ascent was always a little tougher than she remembered; and then she'd realised that she thought this same thought every time she took the path out of the village and up the old Incan steps carved into rock so many centuries before. He was waiting for her, looking off into the distance. Whether he sculpted that look to impress her or whether it was his way she could never be sure, but there was a ferment in her head and such things as distance appealed to the brew.

"Revolutions come from above...," she opened the conversation...

"... but are carried out from below," he finished the famous quotation from Manuel González Prada, the Peruvian anarchist, a greeting they always used to signify their more clandestine meetings.

"*¿Cómo está usted?*" she motioned walking up to him and turning her right cheek in the traditional greeting.

"English only," he retorted, "we don't want anyone to hear."

He kissed her cheek and embraced her, returning to his vague persona looking out into the distance. Ricardo, a student from Lima, had met Monique during a student exchange in Puno. She, some years older, was a native of the old village. They'd fallen in love on the great Lake Titicaca as she showed him the majesty of Peru and the distant peaks of Chile and Bolivia. They'd stayed among the Uros Indians who lived on the floating totora reed islands near the shoreline to avoid paying land taxes and preserve an old way of life.

While she had revealed the old patterns of southern Peru, he in turn told her of the ravages of Lima – an over-populated, sprawling junk-heap he'd called it – where arrogant big business waved its affluence alongside abject poverty. He had brought her once to show her the slum settlements that grew around the Peruvian capital – farmers enticed into the city, away from their old lives, to look for non-existent work, ended up in lives of squalor unable to return to their old lands, for if land could be cultivated it was soon used by someone else. He had also introduced her to his anarchist philosophy, lending her books on the Magonistas and Zapatistas of Mexico. It was especially the works of Ricardo Flores Magón and the journal *Regeneración* that led her to discover Kropotkin and she was thoroughly enticed by the beauty of the vision (and also because that was where Rico got his '*nom de guerre*').

He improved her English while she taught him her native Quechuan. The two young anarchist lovers plunged into a heady world of discovering Peruvian radical history. Ricardo had found old copies of *La Protesta* in his grandfather's library, the journal of the workers movement that had fought for the 8 hour day and later formed the Peruvian Anarchist Federation in the 1920s. In turn Monique revealed how many of the anarchist ideals they shared were very much alive in the old village communities – communal labour and systems of barter and exchange mirrored Kropotkin's gift economy.

Ricardo attended meetings in Lima where a few old revolutionaries told stories of their exploits to eager young students; but he did not want to relive the old ghost stories and remain impotent in their shadows. It was this, and his distrust of the Marxists who dominated the northern jungles of Peru, that made him uneasy, made him question how he might take anarchism out of the dusty Lima libraries and onto the streets, into the Andes and the Incan terraced steps carved into the sides of mountains to grow quinoa and corn for countless generations, and into the Amazon jungle itself where a few tribes still lived free of American influence. Only his monthly visits to Monique and the beauty of the south calmed his insurrectionary spirit and his yearning for the revolutionary moment.

"What are you thinking of?" Monique tried to enter his world. She knew he disliked pleasantries.

Ricardo shuffled on his feet and waved a mosquito away from his face.

"I am disheartened. Here in Peru, we are very much still an agrarian society, and as Bakunin argued it is from among the rural peasantry that revolution will evolve. But still the workers look to the Marxists, to electoral reform and American NAFTA dollars... and in Lima they live in the shadows of old socialists or they are getting drunk to the sound of punk music. Distraction, distraction, distraction...." he broke off and peered into the valley. Monique took his hand, put her arm around him, her hair falling onto his shoulders.

"The workers in the hills recently came out against the government attempt to get them to pay for their water. The workers know that their water comes free from the glaciers – whole villages ceased work as a result and they have won the day." Monique always found something positive to say. She understood his frustration but knew that a revolution must be carefully built. "It is among these workers that we should organize. I have talked to a few already and some have said they will listen."

"Yes that is certainly good news but others will be wary of 'ideas from Lima' or they will confuse us with the personality cult that is *Partido Comunista del Perú.*" He sat down on the grass brushing another mosquito from his forearm. Far below them on the path they could barely hear a lone piper playing to the wilderness. "We need to inspire them, somehow, motivate them into struggle... Oh, I'm sorry Monique, I know I go off on these tangents. You look beautiful today..."

She smiled and they kissed, but it was momentary and he remained agitated. She held him tight and let the world take them for a moment, before continuing the conversation.

"A revolutionary movement must be built from the bottom up – you know this – and yet you seek to rush us into a revolution that we are unprepared for; one quickly crushed and pursued with state retaliation, quick and brutal. We need to strengthen communities, establish economies, set up free schools and agitate among workers, but we must do so over time so that we are actually prepared for the revolutionary event. Remember in Spain the revolution was preceded by decades of activism..."

Ricardo let her from his arms but the comfort of their embrace was but a temporary respite.

"I agree my love, but global warming is causing the glaciers to melt – some say that the glaciers could melt entirely – what will the workers do then? The floods last winter were unprecedented and the *el paca* died in the hills. This has never happened in our history – those animals are equipped for sub-zero temperatures. Roads have also been swept away and local infrastructure badly affected. We need to act now..."

Monique noticed the black backpack sitting against a nearby rock. Some moths danced nearby, excited by the sun, and flew past them, carried off on the breeze.

"What is in the bag, Rico?" She motioned to his backpack holding a hand over her eyes to shield them from the power of the midday sun. Instantly he tried to change the subject but she knew he was deceiving her, and she got up and went to look for herself. Inside she found a canister of petrol. "What is it for? You don't drive, so what is this for?" she demanded.

Ricardo re-zipped the bag and placed it guardedly by his side. They sat silently for a few moments, the breeze occasionally carrying fragments of the piper's tune into their momentary repose.

"I wanted to see you before I go," he spoke reassuringly, but she knew he wasn't talking about the bus trip to Cusco and the long journey on to Lima. And while she had heard of his incendiary ideas so many times before, she became worried and looked exasperatingly at his long black hair and chiselled face, and the sadness she found there.

"The last time you took me into the villages," he continued, "I have never been so angry at those churches. The villages are full of poverty, rundown buildings and homes built from rusted iron and old blankets, and old grandmothers begging for *patatas* in the streets, while in the centre the golden chapels adorned with riches ring their extravagant bells. Tonight I will burn down the church... we must show the people we are sick of such explicit exploitation. We will inspire the workers to act..." but his voice trailed off knowing she would try to talk him out of it.

They had talked like this so many times. Monique often lamented that they did not speak more of love and life, the mystery of things – normal worldly affairs – instead of being in perpetual political debate. He always countered that everything was political, every decision a conscious choice between authoritarianism or liberation. She knew the arguments well however. The old European *dynamitards*, desperate in the absence of revolution, had struck at the aristocracy and tainted anarchism for 100 years; hence anarchists have been portrayed as black-caped maniacs hurling bombs into the wine parties of the bourgeoisie with madness in their eyes.

"Rico, if you do this, they will not understand. It will simply be seen as an act of vandalism. They may find and arrest you, and what will have been achieved? If they make the anarchist connection it will only add to the anti-libertarian propaganda."

Ricardo stood up, frustrated. He knew that every action can be twisted and turned, its meaning sometimes entirely distorted to suit the propaganda of the enemy, but he felt time was running out. The NAFTA treaty was causing massive hardship, climate change was crushingly real and the disparity between rich and poor was growing by the day. Every anarchist has a decision to make – how best can they assist the path to insurrection! For Rico, propaganda by the deed could ignite the spark that surely lay hidden in so many workers from the Andes to the Amazon. He explained that communiqués were to be issued the following day, and that more actions were planned in the weeks and months ahead. He insisted it would cause a domino effect.

They argued for what seemed like hours and then sat silently, listening to the insects. Eventually Rico began laughing. He had forgotten the matches.

"See what I mean about forward planning and preparation," Monique teased poking his ribs. They fell together and discovered how much the sparks of love can be liberating.

Later the two comrades wandered down the path back towards the village, arm in arm, laughing and joking about the absurdity of everyday life. They could not have known that abandoning the petrol can in the bushes beside the church would cause it to spill its contents, nor that a tired old piper would later make his way home from the same terraces and, lighting a cigarette, discard his match in the same direction. And when the Chapel de St-Augustine erupted in flames, and villagers scurried to put out the fire, two young lovers came out of the tavern in total disbelief.

A local publication later carried an article about the accident including a letter from an anonymous young woman who wrote that Panchamama had caused the accident in her abhorrence at the greed of the Catholic church. The young woman's letter was spoken of in the peasant councils among workers harvesting the terraces and also at the edge of the cloud forests where the workers pause to let fire ants cross the path before making their way into the depths.

Another Ghost

David Cunningham

He wakes, the moss below him is still frozen, beyond him the water pools as the snow has slipped back into rain, leaving him colder now, as he convinces himself against a false dawn, he reaches with accumulated stiffness into the layers of jackets and feels for the dynamite which is there and dry, fifty more in the box buried a few feet away, from where a raven reassures him of the morning, and he forgoes his fire, as he did the night before, but he does not forgo his tobacco, already pressed deep into a pipe made from antler, retrieved from his bag under his head; raising now in the cloud of cherry tobacco and the mist, stretching he nearly steps on a cedar box with a copper lid open – he did not see this when he struck camp as he had no fire and he hadn't before slept on this edge of town, for had he, he would have seen what was now presenting into focus – scaly oak trees with boxes hanging from the branches, emblems whittled with oyster shells, boxes have fallen all over, some split open as this one is – which without disturbing he steps over the vessel containing clumps of black hair, and makes it out from the tangled brush – silently, keeping away from any trails leading back into town, or back to the camp's ruin – its smashed windows, demolished houses, the internals of the Company grocery are spread out in the mud, white hand prints made from wet flour besmirch the few remaining doors, as if a warning from the men who did this, to this town ruined and abandoned like the others along the coast, emptied by pox and blood – such as he had seen, great long houses, their arching thunderbird entrances left open to the wind that would return no one – he had traveled on and seen this again and again, lining the inlets are ghost towns, empty villages, eagles perched atop totem poles engulfed by heaping mounds of salmon remains; but he would not return to town or camp again, he didn't even look behind himself yesterday to survey the wake of destruction – he had listened from the wilderness to the clamoured dismantling of the machines, the tearing asunder of the conveyer belts; but now he would not go through, but far around, as he expects the militia to be arriving, or at least the police, who are gravely outmatched by the strikers, who for weeks now have been out against the mine, taking pot-shots from afar, till yesterday, charging into camp ahead of their official eviction – a formality as all the men abandoned the Company shacks to the scabs, and took to the halls of their secret societies, where above the saloons and below the restaurants in town, ancient orders meet to pass the dark around the hundreds of candles, fiddles, bodhráns and conspiracies, each oath upheld nightly in ritual, every hall open to every worker, but each hall a language of its own – which he could speak all, but never speaking, so that it was only he whose imagined nationality was not a surname – he who recited all his oaths perfectly would sit always in the back and hear talk of syndicalism and sabotage and the creation of slogans – *slugh-ghairm* a word split from one of his origin tongues, which in the highlands was respected as the battle cries of warriors engaged in open war in the storm skies – which here-now such battle cries sung out without cease as storm after storm blasts in from across the ocean, wars fought over such space that made the sky and the ocean indecipherable ran even the great whales from the water, their giant skeletons amassed high on the shore, which he would spend traversing any day he was not buried in the mine, being digested through the coal seams, with all the other slaves below and those above – the boys who had replaced the natives at picking up the slate debris and carrying off in baskets of woven cedar branches which are purchased by the Company from the few remaining natives, everyone contending to work themselves to death, creating in the need for survival such friendships as his and the native girl; both know not the other's name, he reminded by her of someone else gave to her nearly everything he made – considerable amounts as he refused from the day he arrived to stay in the Company camp or eat from the Company canteen, he lived in the woods, and as such she called him *Kwai-n-tlatl* – Wild Man of the Woods, and brought him the backs of salmon and red berries, and took him outside her people's camp so that he could watch from concealment the gathered clans' ceremonies – under clouds choking out the moon, masks of monsters dance with the influence of the fire which brings forth from darkness all but eternity and the black orb carved eyes that witness the young men cloaked in grey wolf skins pass through rites taken amongst the detonations of drumming – rituals so unlike anything performed in his pagan societies but gave unto him a mightyful affinity; and it was last night after the Company camp had been torn down and after his circulating the town clubs that she found him coming down the stairway of a fraternal lodge and told him, in the style of communication they best understood one another – that her people were having a ceremony, a ghost dance, for they all knew, everyone, that many *Sassquec* were making their way up the coast, and bringing back with them the gunships – the killers who made way for these mines and would fill them with the last Indian and worker's corpse before losing them; but she made sure he understood he was not being invited to spy, she was saying goodbye, they would not wait for the fight between the cannibals, after the ceremony she would join her people setting off in canoes and rejoin the exodus, up or down river, depending on which way she had come – signalling thus, she placed a soapstone smoothened into the shape of a black whale into his palm and turned and walked in the direction he now took alone – almost now at the mine's first pithead, through the incandescent amber he could see the archway to the open shaft, the timber rose like the algae-laced ribs of the giant whales – what kind of power that shapes the world, reaching into his layers of pockets retrieving three bundles of dynamite themselves three apiece, all wired together last night after he had spoken to the girl and decided upon that which he had been considering in the evening, but can never be born of meetings, rather night is midwife to action, and in this dawn it was being carried out, three sticks will do it in – bringing out the dynamite from the pocket which carried the black whale stone, in the opposite breast pocket he took from his tobacco pouch the box of matches, as he was that close now, motioning towards that one swift action, which is cut in half by a rifle shot – his body collapses at the echo of the blast, the ground upon which, that what was once his body now lays, drinks in the pools of blood being driven down deeper by the rain, the earth opening to take in another ghost.

Writing the Revolution

Feral Sage

The light above the tiny clearing had faded from amethyst to indigo to cobalt, and still the old woman could see the silhouettes of the treetops encircling the patch of open sky like a lacy necklace. She hunched over the dying fire, a gnarled stick in her gnarled hand, and carefully lifted the embers one by one, smiling as they sent up little licks of flame. She had kept the fire burning all afternoon and into the evening to welcome her comrades when they returned. But she was already bone-tired, and certain that the young women would not be climbing through the forest so long after dark. They would probably be here by the time she woke, but they would have to start a new fire. She had only to finish today's entry in her journal, and that could be done by lantern light.

She held her breath and winced in pain as she lowered herself into the rickety Adirondack chair and settled in among the pillows. Reaching over to the stump beside the chair, she turned up the lantern flame and slid a spiral notebook into her lap. She leafed through pages filled with small, neat handwriting. There were only a couple of blank pages left. Maybe she should have asked the women to bring her another notebook. Even though most stores were empty now, looted of anything useful, and those that weren't were heavily guarded, they had connections and were usually able to find what they were looking for. The old woman began to write.

I'm coming to the end of my narrative (or my part of the grand narrative). There's not much left for me to write, except to tell the story of how we came to be here. Everything changed so fast, it's taken me a long time to understand how the pieces fit together and to see where the story is going. I have lived to see a new world emerging, even as the old one crumbles. It's a joy and a vindication. I know what it's like to go to sleep hoping you won't wake up in the morning, and that's how it is for many people. There is so much suffering and despair these days. If they can hold on just a little longer they'll see changes that will give them enough evidence to believe that it really is happening. The signs of new life are never obvious in the beginning, unless you know what you're looking for. But they are there, like the little purple flower I saw that had pushed its way out of the rubble of an abandoned building the day after it collapsed—improbable, shockingly delicate, but impressive, inspiring awe for the life-force that gave it the courage to confront such hostile conditions. It's like the circumstances that brought together this old woman, three young women and a hectare of heavily forested land. It started with a stroke of luck, literally.

She chuckled as she wrote this. She had inherited this land from her brother, who had died ten years before. Only 56, five years younger than she, and apparently in good health, he had suffered a massive stroke and died in a gourmet restaurant only three blocks from the abandoned warehouse where she slept at night. This land, with its comfortable little cabin, had been her brother's weekend retreat from his daily life as a stockbroker. He came here to kill animals. He once told her that it relieved his stress, and that, anyway, there was nothing wrong with killing animals because he had a hunting license. Just after she inherited the land, Blue, one of the soup kitchen volunteers, had brought her here to have a look. But living outside the city, with no vehicle and no access to food, was not a realistic solution to her homelessness at that time. Then one day, three years ago, everything changed.

Things had been bad for most people for a while, but the die-out started among homeless people. It was normal for people to disappear for a while and then come back, usually after a few days or a week, with a bandaged head, an arm or leg in a cast, or a week's worth of antibiotics. Pneumonia was common; so were beatings by police and other thugs. Some of us stayed close to one another in the park during the day for protection and strength in numbers. Others panhandled in front of downtown stores, or rifled through garbage cans and unlocked dumpsters looking for something to sell, use or eat. We thought of ourselves as a community. At least we all knew each other's names. And almost every day we met up at the soup kitchen in the basement of the church, just around the corner from the park.

The soup kitchen was completely run by volunteers. I met Blue the first day she and some of her friends started serving meals, but I'd seen her several times before in the midst of a noisy throng of mostly young people in one of the marches that often wound their way through the neighbourhood heading toward the police station or City Hall. There were times I was tempted to join in, for old times' sake, but I was afraid of the police. I read the literature the marchers handed out. They were calling for the complete overthrow of the State and all of its institutions. I remember wishing them good luck and hoping that they would carry the struggle farther than my generation had. I worried about what would happen to them when the State decided to deal with them.

For most of the people in the homeless community, the soup kitchen was the place where we gathered and shared our news of the day over a meal that was as fine as any in a gourmet restaurant. That's where we began to realise that people were disappearing. It seemed that almost every week someone else went missing. On the day that everything changed, a middle-aged man named Roger was sitting beside me. He was telling us that he'd overheard two guys talking at the bus stop, a few feet away from the bench beside the subway entrance where he was sitting, reading a newspaper retrieved from the trash bin. According to Roger, one of the men was "blabbing on" about the union finally talking about starting to step up pressure on their issues after being wishy-washy for so many years, but that it was probably too late. The other man said that his father had worked all his life as an orderly at the hospital, and had owned the family home, raised three kids, and retired on a comfortable pension.

"And just look at us. We'll never have that."

The first guy said, "Yeah, and your father never had to deal with what we have to, either. I don't trust those masks they give us to wear in the isolation ward—not when the docs are practically wearing hazmat suits."

Roger said he was thinking this was just more working class complaining—something he seemed to resent, probably because he'd had a good job before alcohol took him down the rabbit hole and he wound up jobless, wifeless and homeless.

He said he was about to go back to reading the paper, but their conversation caught his ear again when he heard the second guy ask, "What do you know about all those deaths?"

The first man answered, "Well, I know there's been at least 20 over the last month, mostly older people and homeless people, men and women—some young people. I should know," he laughed. "I get to cart 'em down to the morgue." Shaking his head, he said, "Thing is, most of 'em weren't circling the drain."

Roger told us he had wanted to hear more, but the bus had come and they were gone. His recounting of the story sparked a heated exchange among a few people at the table. Some said Roger was making it up. Others said Roger wasn't a story-teller. A drunk, maybe, but no liar.

Roger just put his hands on the table, leaned forward, looked at everyone and said, "Okay. Then where is everybody? Where's Petey? And Alice? And those kids, Marnie and Scavenger?"

Everyone fell silent, digesting the possibilities.

Suddenly, the doors of the church basement burst open and about 20 cops from the SWAT team thundered onto the landing just above us. One of them bellowed at us to stay in our seats while the rest streamed down the stairs on either side of him. They swarmed the tables, shouting at some of the men to stand up, and grabbing them out of their seats.

Screaming into each wide-eyed, terrified face, the cops wanted to know: "Where's Carlos Ortega?"

We looked each other, surprised. None of us knew anyone by that name.

I was speechless with fear as I watched my friends—many of them older than I am, frail, disabled, frightened and confused—being brutalised by huge, strong, angry cops. I have a snapshot in my mind of what happened directly in front of me—of Wilbur, barely five feet tall, and maybe a hundred pounds, being held up off the floor by the front of his shirt scrunched in one beefy cop-hand; and Wilbur, a gentle and kind man, too terrified to blink even to keep the cop's spittle out of his eyes. And then I heard a commotion coming from the kitchen behind me—pots and pans clanking, dishes and glassware breaking; and two gunshots, followed by a truncated scream. In a blur, the cop in front of me threw Wilbur across the table so hard that his head sailed into my chest, knocking me backward onto the floor, chair and all. In the same moment, the cop who had been terrorizing someone behind me took a giant, heavy step toward the kitchen by way of my ribs. I remember the pain, being unable to breathe, and the coldness of the basement floor against my cheek as I watched heavy, black boots pounding toward the kitchen. After that, I don't remember anything else until I felt gentle hands all over me feeling for broken bones. I opened my eyes and looked up at Blue. Her eyes were filled with tears, and her face was bruised. Her lip was bleeding from a gash where one of her lip rings was missing.

She said, "I'll get you to the hospital."

I whispered, "Please, no."

The old woman put down her pen, leaned back and squeezed her eyes shut to hold back tears. That day had cost a precious life and resulted in the closing of the soup kitchen. With a deep sigh, she wiped her eyes with her sleeve and continued writing.

That day I went to live with Blue and her housemates, Nasrin and Nadia, in their loft. They gave me a mattress on the floor, with fresh sheets and a warm blanket. They brought me soup and green tea. If I hadn't been feeling so much pain, I would have thought I had been transported to paradise. With the warm sunlight streaming in, and a beautiful black cat curled up beside me, I fell into a deep sleep. When I awoke, it took a few moments to realize that I was not lying in a sleeping bag on five sheets of cardboard in the warehouse. The sky was dark and the loft was suffused with candlelight. I could hear men's and women's voices. They were talking about what had happened in the soup kitchen.

As I listened to their muted conversation, I realised that they were all members of the same collective, and that Carlos Ortega had been one of them. Blue had been injured when she leaned her small body against the kitchen door, trying to give Carlos time to escape. The Robocops had burst in, shoving Blue into the prep counter, with its two metal shelves stacked with dinnerware. Two cops each fired a shot at Carlos as he tried to open the kitchen exit door. It was Blue's scream that I'd heard. The cop's reaction had been to grab her face in his leather-gloved hand and shove her to the floor. The following day, Blue told me the whole story. Carlos had been ordered deported back to Honduras, even though he had been a well-known human rights activist there (or, considering the friendly relations between "our" government and military dictatorships all over the world, perhaps because of it). He would probably not even have made it from the airport to his village alive. Instead of showing up to be deported, he had gone underground. For a full year he lived with comrades in a loft down the hall. Every day he helped to prepare the soup kitchen meal from whatever had been gleaned from rich people's larders by comrades who worked in their kitchens, and from dumpsters behind grocery stores, conveniently left unlocked by other comrades. Day after day—after sweeping the floors, making sure there were no dirty dishes in the sink, feeding the cats and cleaning their litter boxes—he exercised for a couple of hours, read anarchist literature and dreamed about the revolution. He was happy to have the time to read books he had only heard of and would otherwise not have had time to study. But it wasn't the same thing as being free to move around in the world, feeling it change, sensing its possibilities. He had put it out to the collective, making the case that Immigration Control had probably forgotten about him, and that he could be helpful in the soup kitchen. Most of the collective had doubts that this was the case, but everyone had agreed that individual freedom was an essential value. After some discussion they had decided that

"Rafael" should arrive at the soup kitchen by a different route than the others. He would leave the same way, and earlier. If apprehended, he would say nothing about the collective—where they lived or what they did.

The raid on the soup kitchen and Carlos' assassination set in motion a course of events that took the revolution to a new level, beyond anything I could have dreamed of. Now it was clear that the collective was already under surveillance. The comrades had earlier decided to cellularise their activities, spreading out to different neighbourhoods and coordinating through the secure communications network the hacktivists had established. The time to make a move was now!

And so, here we are. Three strong young women who still make forays into the city to bring food to homeless people and distribute supplies to the cells of the collective; and an old woman who can no longer walk, who sits by the fire and writes a part of the history of the revolution.

The old woman closed her journal. She leaned back, closed her eyes and slipped into a deep sleep.

Warmth

Jamie Heckert

"Hey, Tom", whispers Melanie with a huge cheeky grin. "One of those guys is going to the toilet. Why don't you follow him?"

Melanie and I grew up together in this Cornish seaside village. Why go off to London or Bristol or Brighton looking for jobs and adventures? Here we've got the sun and the sea, an amazing yoga teacher and each other. Besides, we both love working at this little cafe, especially now that it's become a co-operative. When the economy got bad enough, the old owner decided to put the place up for sale. A few of us had been inspired by the permaculture farm up in the hills above town, which has been a co-op for 30 years now. After long and sometimes tough discussions, with support from folk near and far, we finally took the plunge. And haven't looked back since.

We all make just enough money to live on, but we have such a laugh! Work was never so much fun before this. I mean, it's hard sometimes. We've had some pretty serious arguments. Usually in the winter, 'cause in the summer we're too busy serving the tourists. Our summer income has to tide us over the winter, so we take it seriously. Especially after that first winter when we really didn't know what we were doing and supplies were pretty tight. And it's pretty much just us locals in the winter.

So when the first flush of tourists arrive again in the spring, we can get a bit over-excited. There's a bit more cash about to indulge in life's little luxuries. After three months of winter veg, stored fruit, beans and grains, with cheese on special occasions, I'm almost aching for chocolate.

And sex! It's been unseasonably hot this April, with the climate change and all, and the sudden burst of sunshine has got me feeling horny as hell. Now these two cute guys have come into the cafe for lunch and I've been so obvious about fancying them - like I'm fifteen rather than twenty-five! But I'm pretty sure they fancy me, too. Melanie sure thinks so, or she wouldn't be chasing me out the back door of the kitchen to get to the toilet before one of them does.

Thank God no one else is there! I get my cock out at the urinal and it's hard before I know it. I push it down so it looks like I could be trying to piss, even though there's no chance. I hear footsteps on the gravel outside, and my whole body flushes with the combined heat of excitement and fear. It's him! Fuck, he's grinning at me like he knows exactly why I'm here. And I'm grinning back so hard my cheek muscles twitch. His rich brown eyes and handsome face are too much for me - I almost lose my balance. I look down and make an effort to slow my breathing. Deep inhalation, long slow exhalation, I can hear Robbie's voice in my mind from our last yoga class. Feeling a little more calm, a little more grounded, I glance to my right and see that this beautiful man has also stepped up to the urinal. The rush of emotions and sensations is too much for me and I quickly stuff my hard cock back into my trousers and race for the kitchen.

Melanie sees me, asks a co-worker to take the plates to table twelve, and comes to give me a big loving hug as only she can. I feel my body shake and my eyes leak a few tears onto her shoulder. I'm shocked by the strength of my reaction, but I try to just let it be there without making any stories about what it means. It just is. And it passes. I pull back a little, look into Melanie's compassionate eyes and my face breaks out in a big smile. How lucky I am to have a friend like her. She smiles back, a little relieved.

"Oh, sweetheart, you take the afternoon off! We're not that busy, but I want to help the others just until the lunch crowd thins out a bit. Why don't you go get some fresh air?"

"Are you sure you'll be okay? I think I could work," I say, feeling a little guilty about leaving now over such a silly thing. But I do still feel a little wobbly. Maybe she's right...

"Go!" she says with a big smile, giving me a quick hug and an affectionate pat on the bum before getting back to serving. "Don't worry," she calls over her shoulder, "you can cover for me one day."

As I stop to grab a bottle of water on my way out, I can't help but glance over toward the guys, who flash me a couple of friendly smiles. I smile a little shyly, but keep walking. I do need that fresh air.

Outside, I instantly feel better. The warm sunshine on my skin, the wide-open sky and the calm sea spreading out to the horizon in front of me soothe my overexcited nerves. My heart lighter and my mind clearer, I head off for a walk along the coast, breathing the salt air deeply. How could I leave you? I ask the sea. You're my first love.

I've not gone far when I realise the boys from the cafe are beside me. I smile shyly and say, "Hey."

"Hey," says the beautiful brown-eyed man, "I hope I didn't scare you."

"No!" I say, a little too forcefully, and then grin at their expressions. "I just got a little overwhelmed, you know, and came out for some fresh air."

"Do you want some time alone?" asks the other guy. The way he asks is so gentle, so calm, that I feel really comfortable in his presence. Both of them are like that, like I've known them a long time.

"Actually, I think I might enjoy your company. I'm Tom, by the way."

"Hey, Tom, great to meet you," says brown eyes with a big warm grin, "I'm Jin and this is my boyfriend Simon."

And so the three of us amble along the coastal path, stopping here and there to admire wildflowers and rockpools, pretty stones and the simple vastness of the sea. It turns out they are staying up at the farm. I tell them how we became a co-op, too, because of the farm, that we buy our vegetables from them, and how great it is to run the cafe together, even though it gets pretty hard sometimes. I notice I'm rambling and shut up. And take a deep breath and gaze out to sea. I turn back to see that they are interested.

Simon says, "Actually, we're thinking of joining the farm. And what you're saying is pretty encouraging. We've been in London for too long, and neither of us are really city people. Jin teaches Chi Gung and I'm a nurse. But we've both been learning about permaculture and anarchism and co-ops, and feel so drawn to it all. We did wonder, though, if we'd be the only gays in the village!"

I grin at that last comment, not knowing whether to say that I also fancy women. I leave it for now. "I'm sure you'd be welcome here. Sure, some folk are a bit close-minded, but things have been changing a lot. With the official economy falling apart and all, folk have been getting together and creating alternatives. It's really opened up people's minds. Melanie and I even started up a little gender and sexuality reading group over the winter. We didn't get a lot of people, but we had some amazing discussions and got to know each other so much better, even though most of us have been living in the same village all our lives. A few people I wouldn't have suspected said they were bi-curious but weren't sure if they wanted to do anything about it or not. Which is fair enough, you know. We weren't out to recruit anyone, just make a bit of space for people to explore ideas and feelings together."

We're getting closer to the nudist beach with its gay bit at the end. I wonder if they know about it. Should I say something? I start getting a bit flustered again, caught up in excited thoughts. I catch myself, grateful for Robbie's teachings, and bring my awareness back to my breath, my footsteps on the sand, and the feeling of the light breeze on sun-warmed skin. Ahhhhh.

We walk in companionable silence for a time, exchanging warm smiles and lingering glances between simply taking in the natural beauty around us. I suddenly feel a great burst of joy in my heart, literally in my heart, as though something trapped had been released. I hadn't realised I'd still been holding so much tension. It leaves an open space in its wake. What a gorgeous day! The colours around me become much more vivid, the sounds much clearer. The two men walking with me become even more beautiful.

"Do you know," I ask, "there is the nudist beach ahead? I reckon it's hot enough today, if you want to check it out." I'm a little startled to hear myself saying those words, but realise I mean them.

"Sure," grins Jin. And Simon smiles right at me and nods, before gazing out again across the sea.

After skimming a few stones across calm water, we come to the first curve of giant stones that mark the beginning of the unofficial naturalist beach. There are only a few people here. We carry on past the second bay, clamber over a steep wall of stones and drop down into the third bay.

The tide is out and a great expanse of pale golden sand lies before us. Jin drops his bag and starts slipping out of his clothes. He's got a lovely body - solid, strong and graceful. Simon is a little curvier, like he does a bit of comfort eating to get through his days. I can relate to that! Yoga helps me notice when I'm actually hungry instead of just wanting food, so I've lost some of the weight I put on as the awkward queer teenager in the village.

Once again, I realise I'm lost in thought and still fully clothed. I quickly strip off my T-shirt, sandals, shorts and pants, a little shy about my nudity when I've just been thinking about myself as a teenager. And then I realise, my body isn't the one in my mind. It has a strength and flexibility I never thought it would. I stand up straight, smile at the boys and point toward an alcove in the rocks, suggesting we make ourselves a little campsite.

Even though it's only April and the sea is going to be freezing, I'm taken by an urge and run shouting down the beach, out into the sea, diving into the icy waters. My balls feel like they might go back inside my body, the water is so cold! But exhilarating. By God, I know I'm alive! I run back out of the water, my muscles shaking, and soak up the sun's heat on my skin.

Simon and Jin are waiting for me, warm, dry and laughing affectionately.

"Do you want warmed up?" Simon asks.

I nod vigorously, teeth chattering. Simon hugs me from behind, and Jin from the front. And me?

I melt into the warmth.

Treason

Jim Miller

"When did it happen?"

"Yesterday."

"Where did they hit?"

"Orlando and Anaheim, simultaneously."

"The Magic Kingdom?"

"Yup. The death toll was in the hundreds at Disneyworld, eighty-seven at Disneyland."

"How did they smuggle in the explosive devices?"

"In the character costumes. Mickey in Florida, Goofy in California."

"Did they say anything before they blew themselves up?"

"In Orlando, 'I'm going to Disneyworld.'"

"In Anaheim?"

"'The crappiest place on earth.'"

"Were they Al Qaeda?"

"No."

"Right-wing fanatics from Idaho?"

"Guess again."

"Eco-terrorists?"

"Nope, one was an unemployed deconstructionist English professor from Irvine protesting the arbitrary binary oppositions enshrined by the rhetoric of the war on terror."

"And the other?"

"An alienated teenager from Dayton, Ohio. He was upset that his group's copy-cat anthrax letter and pipe bomb attacks hadn't received as much attention as the celebrity child-porn murder trial."

"And there was no Al Qaeda connection whatsoever?"

"No, they were busy killing missionaries in the Philippines and plotting an even bigger jihad action somewhere in the lawless region of Pakistan."

"Do we have video confirmation of this."

"Yes, but I'm not at liberty to screen it for you."

"I understand. What I want to know is what we can do to prevent this?"

"Have you given your blind, unqualified support for the global war on terror?"

"Yes."

"Purged the universities and the media of dissent?"

"Check."

"Cracked down on immigrants, criminalized policy debate, and surrendered even your most basic liberties?"

"I've even encouraged unprecedented governmental secrecy and the rewriting of history."

"What else?"

"I've reorganized my intelligence and law enforcement capabilities and *voluntarily* gone to the authorities three times a day for cavity searches."

"Bummer."

"What if I killed myself in order to prevent them from getting the satisfaction of killing me first?"

"That's an idea, but you're a little ahead of yourself. Have you considered thought crime?"

"What?"

"Thought crime. You know, *1984* by George Orwell."

"Never heard of it."

"I'll get you the film version. In the meantime, consider this. How many of your neighbors have let their flag decals peel off their windows and not replaced them?"

"A number."

"That's a start. Have you spotted anybody heading for the john when they play 'God Bless America' during the seventh inning stretch?"

"A few."

"There you have it."

"What?"

"The beginnings of thought crime. Once the cancer of terror has invaded the homeland, the only answer is to cure the disease from the inside out."

"I'm with you. What are some other signs of thought crime?"

"Getting lax with your exercise routine, complaining about work, missing the tail end of the Pentagon press briefing. By the way, how many times have you been to Disneyland and Disneyworld?"

"I don't know. It's been a while."

"Interesting."

"What are you trying to say?"

"Nevermind that. What do you do for a living?"

"I teach Bible class at First Baptist Academy."

"And? Is that all?"

"What are you driving at?"

"Remember, we've seen your W2s."

"You have? When?"

"That's for me to know. Now I'm going to ask you one more time. What else do you do for a living?"

"You mean the mascot thing?"

"Bingo."

"Oh that! I'm Binky the Ballhead for the Cedar Falls Daisy Cutters."

"And the other day . . . What did you whisper into the ear of that nice old lady in the third row of the upper box section?"

"I don't recall."

"That's convenient."

"Hey, now wait just a minute!"

"Keep your shirt on, Binky. You're in enough trouble as it is. We know what you said."

"You do? What?"

"Think hard. Are you sure you don't know?"

"Yes, I'm sorry. I don't remember."

"Well, let's see if this cage-hat, full of huge, rabid, starving rats will help stir your memory. There we go, how's that fit?"

"Hey, this isn't *The Fear Factor*, leave me alone!"

"I'm afraid that big, fat hungry rat who's scratching his way through the flimsy trap door doesn't care much about your protestations. It appears that, in a few seconds, it will be too late for you."

"Okay, okay I remember! I said, 'Are you having fun yet?'"

"That would seem to imply that she wasn't already having fun, wouldn't it?"

"I don't know!"

"Or worse yet, that you, in your own devious way, didn't think that people always have fun in America."

"It was just a joke!"

"A little irony?"

"Yes!"

"Well, tell that to the rat who's just a second away from clawing out your eyes and sucking the dreams out of your seditious unconscious. He doesn't have a sense of irony."

"Please! I'll do anything!"

"Okay, I've got the cage now. You're safe."

"What do you need?"

"Everything."

"For how long?"

"An unspecified period."

"Okay."

"Think happy."

"I will."

"Without irony."

"Check."

"Think fear—"

"Uh-huh."

"is righteousness."

"You got it."

"Suspect complexity."

"I will."

"Disdain nuance."

"Yes."

"Confuse image—"

"With?"

"Reality."

"They're the same."

"Forget history."

"It's boring!"

"Embrace pre-emptive action."

"Okay."

"Good. Think 'shoot me.'"

"I am."

"In the head."

Spud

Ken Simpson

When I was nearly 12 years old I fell foul of the headmaster. His surname being the same as a well-known brand of potato, he had been given the nickname Spud. It fitted him well. He had a nuggety face with lumps, hollows and moles in various places. His hair was cut very short at the sides, like the hair of a conscript or a convict.

At the beginning of the school year we had a temporary teacher. We felt undervalued, because the school administration had failed to recruit anyone suitable to teach the final year primary class. The teacher we got was just out of training college and had been persuaded to stand in for a few months, until he did what he really wanted to do, and went overseas. We had him for two weeks but it seemed longer. He was tall, skinny, awkward and nerdy and had a nerdy name like Norman. His Adam's apple stuck out on his scrawny neck and bobbed up and down when he talked. From the start, he was clearly out of his depth. We were rowdier than he had been led to expect from pupils at a school serving a 'nice' part of town, where middle-class and professional families lived.

The long summer holidays were over. We hated being back inside a dark stifling classroom reeking of dust, while the sun streamed down as strongly as ever outside. We had to sit still, after freely running around for six weeks. Our last year's teacher had been tough and we were still reacting against his humourless, neo-fascist regime. Norman found his first day of teaching a nightmare, no doubt. But we saw it only from our point of view, pushing like herd animals wherever weakness showed.

A week passed slowly, scratchy children and desperate teacher. We didn't learn much. It was a Friday morning and we were bored. Norman hadn't learned how to keep the attention of a class. There was the drone of a low-flying aircraft, a military plane I thought. Some of us got up from our seats to look out the window and up into the sky. Red-faced, Norman yelled at us to sit down. I put my tongue between my lips and made a rasping sound. For that, he gave me a punishment: to write him an apology during the lunch break.

I resented the punishment, especially as it came from him. An apology was not warranted for such a minor offence. I knew the rest of the class would back me up. I decided to use my pen like a weapon, for the first time in my life. With Norman sitting at his desk watching me so I couldn't escape, I wrote something that was definitely not an apology. I justified my rude behaviour, then became personal and hurtful. Told him that nobody in the class liked him. It was all true perhaps, but the truth needn't always be pointed out. He would have known it anyway.

I handed the piece of paper to Norman and went outside. Didn't feel any regret as I did it. That would come later. The writing had been cathartic for me. I had fulfilled my punishment and was exempt from any consequences. I went and told a friend what I had done; he was amazed. "Did you really say that to him?" Only then did I realize that I had done something wrong, offended against social rules, with nobody in the world prepared to support me.

Norman read my piece and took it to the headmaster, who hunted me down in the playground and told me to report to him after school. He didn't have to say what it was about. The rest of the afternoon was torture for me, wondering what I was in for – more detention, corporal punishment, having to explain to my parents. I wished I hadn't written my satire. When class resumed, it was excruciating for me to have to look at the one who had dobbed me in to the head, Norman, for two long hours until the final bell went. Not knowing what was going to happen to me made it a miserable time. The minutes went slowly, even slower than they usually did on a Friday afternoon.

At last it was three o'clock. For once, the final bell came too soon. The class was dismissed and I dragged myself to the headmaster's office expecting to be punished hard. Another strapping of my hand, perhaps, to add to the unjustified one I had got from him last year, for standing on a low wall outside his office and jumping off repeatedly, while waiting for the assembly bell to go. It seemed unfair that I had two people against me. Norman had told on me, something pupils were never supposed to do, and handed responsibility for punishment to someone else. Spud may have resented that. It was his time, not Norman's, that was being wasted now.

Strangely, Spud seemed unsure and awkward. He peered down at me as if I was dangerous – the way, I realized years later, that you look at someone who seems to be mentally disturbed. He showed me the page of insults I had written. "Did you write that?" he asked. I glanced at it just to make sure, and reluctantly recognized my handwriting. "Yes, sir."

"Why did you write this?" the inquisition began.

"I don't know," was all I could come up with.

"It's not very nice, is it?"

"No, sir."

"You are going to take this home and show it to your parents," Spud said. I felt real fear now. My father had a big hand and used it often enough on his three sons. Just as Norman had passed the buck to him, Spud was passing it on to my parents. But a tiny hope of escape, of evading adult justice and punishment, stirred inside me. The obvious flaw in his procedure was making me the messenger.

"Yes sir." I took the paper he was handing me and put it carefully in my schoolbag. I waited for him to continue, perhaps ask me to hold out my hand for my punishment. To my surprise, I heard him say I could go. He wasn't going to waste any more time on me. Maybe my ill-considered, insulting diatribe, written to a standard that good teaching had helped me attain, had convinced Spud that I was mad, or at least significantly emotionally disturbed. I was being quarantined, in the same way that the sane erect a *cordon sanitaire* around the deranged. Did he expect my parents to form the same conclusion after reading my piece, and take me to a psychiatrist? The problem was not an educational one, barring the slight possibility of my writing convincing Norman to give up being a teacher when he had barely begun. Spud could wash his hands of me and go home.

I had been delayed long enough so that I couldn't catch the usual bus home. I began walking up Ward Road. I could catch the bus from the next suburb. But walking calmed me down after my long afternoon waiting for the axe to fall and I ended up going all the way on foot. I didn't want to arrive too soon. My father wouldn't be back from work until 5:30 pm. He was stricter than any headmaster and more prone to using physical punishment.

I trudged along, feeling guilty and oppressed. I thought about what I had been asked to do. I couldn't believe I had been let off in this way. Spud had set me a test, to obey his orders. But the further I got from school, the less his influence weighed on my shoulders. Halfway along the main road, just before it began to climb up to Newton, I took the incriminating evidence from my schoolbag, hesitated briefly, made sure nobody was around, then tore it into eight pieces and shoved it through the grill of a large drain in the gutter.

I went home and said nothing to my parents. I had an anxious time that evening and all through the weekend wondering if Spud would ring them, but he didn't. My luck held and the crisis blew over. The next week was Norman's last and then, as a kind of recompense, we got our best teacher so far.

The episode taught me to keep my sarcasm for my peer group, not use it on those who had the power to punish. I gave them a wide berth, complying but not agreeing with their rules, opinions or methods. At the callow age of twelve, I became an *indignado*, a *refusnik*, a junior anarchist distrusting any form of hierarchy.

For the rest of the year, Spud and I eyed each other with distrust whenever we met, never speaking. Thanks to the new teacher, who knew how to entertain the class and encourage the shy and quiet pupil, I enjoyed school and did not feel called to misbehave. In fact I kept my head down for the next six years, all the way through high school, give or take a few stupid outbursts when emotion got the better of me. But my view of authority figures was changed forever by that incident, and the way I had acted during it, to resist and negate authority. In later life, in self-defence, I would use the methods of strike, boycott and ignoring orders from the power elite, the military-industrial-government oligarchy who attempt, with a large degree of success, to rule the world for their own benefit.

Ghost Train

Norman Nawrocki

The girl sat on a kitchen chair, swinging her legs, watching her grandfather rearrange the cupboard.

"Tell me again, Grandpapa, please, about the 'Ghost Train.'"

He laughed. "Again?" The child nodded. The white-haired man removed his apron and sat across from her. She smiled. He folded his hands on the table and leaned forward, his eyes twinkling.

"It was a long time ago, when I was just a boy – no older than you – when the 'Ghost Train' ran. We now call those years 'DC' time, During Capitalism. It was the period of the Great Occupations and Great Strikes, when all around the world, even here, the poorest of men, women and children staged protest occupations in their cities for weeks and months that stretched into years.

"The occupations spread from public squares to schools, airports, subways, bridges, banks, places of work, poor neighbourhoods, government and corporate offices and led to General Strikes everywhere. People were angry, unhappy. Many of them, including the Once Comfortable Ones who had lost their jobs, were barely surviving. Others were forced to live on the street. So they formed the Great Communes of the People to make big changes.

"Country by country, over many years, the 'Great Changes' eventually happened worldwide; but only after countless strikes and battles, with much suffering and hardship. Many people died fighting. 'The Long Great and Final Class War' was the last big battle. Then people lived in peace, as we do today."

"When things got better, you mean?" the child asked.

"Yes. When there was no more hunger. No more war. No more homelessness. No more 'Favoured Ones,' or 'Unfavoured Ones,' because of the colour of their skin or whatever. When everyone took care of each other like brother and sister, like we do today. It was a time when the Great Communes of the People got rid of an annoying and troublesome group of people called the 'Bosses.'"

"You mean the ones who thought they were better than others and bullied them?" the girl asked, nodding.

"Yes. They also got rid of all the 'Politicians.'"

"The ones who lorded over others?"

"Yes, and also lied to everyone because that was their job."

"And the ones who greeded, too?" the girl asked excitedly.

"Yes. The ones who amassed fortunes for themselves at the expense of others. During the 'Great Changes,' people shared the piles and piles of wealth equally and did away with 'misery'."

"You mean the Crying Times, for children and adults?"

"Yes, the long periods of many tears. They also got rid of all the 'Governments'."

"The crooked untruthful ones! We learned about them in school, too. They protected the Greedies."

"They teach you well in school! So the Great Communes of the People replaced the old system of Capitalism, which was not working for most people – or our poor planet – with Anarchism and Mutual Aid and Self-Managed systems of..."

"But the 'Ghost Train'? What about the train?" the girl implored.

"I'm getting there." The old man cleared his throat and leaned even closer towards her.

"So, in DC time, so long ago, during the Great Occupations and Great Strikes, there was a train – a quite extraordinary train. People spoke about it in whispers and argued about it. Many never really believed it actually existed. But it did!

"It was a huge train, about 100 cars long, pulled by a giant, noisy, old steam engine. Unlike other trains, it didn't travel on iron rails on the ground. It was special. It travelled high in the starry sky – but only during the full moon. And all of it glowed a ghostly white in the dark. The only people who could see it, though, were the children."

"You mean kids like me?"

"Exactly! On these nights, the Ghost Train would appear on the horizon like a distant moving star travelling at great speed, getting brighter and brighter as it shot across the sky. It always circled the moon first before heading for Earth. Some children said that they could see the moon's sad face turn into a smile after the Ghost Train passed. They also said that the train was so bright it lit up the entire sky as it approached our planet.

"Once it reached our great metropolis, it slowed down. Children could hear its whistle tooting from far off. If they were already in bed, they jumped up to scan the sky. Then as the Ghost Train got closer, they heard its great wheels grinding, all the parts clanking, squealing and squeaking in unison like some huge steel beast on the move. They could hear its old steam engine puffing, and watched it spit out sparks from its smokestack into the darkness like a fountain of shooting stars.

"The train travelled ever so slowly up in the sky in a giant circle above our downtown. Then there was a terrible, long, screeching as someone pulled the brake – and the train stopped. Glowing white in the darkness, it just hovered above the city, its enormous engine huffing, puffing and releasing steam, its 100 cars creaking and wobbling back and forth."

"There were people riding it, yes?"

"Oh, indeed! It carried many, many passengers; thousands of them. But they were not alive, really. They were dead… and ghostly. They were spirits. Among them were the spirits of what people called back then, the 'Underclasses': the poor, always unemployed and under-employed ones; the hungry ones; the abandoned and the forgotten; the toothless; the faceless; the sick and the elderly ones.

"But there were also the spirits of strikers from earlier labour battles, long before the time of the Great Communes, the ones who had participated in earlier General Strikes and factory occupations. There were spirits of poor immigrants and refugees who had occupied government buildings, fighting for their rights. There were First Nations ones who had occupied land, bridges and corporate offices; poor tenant ones who had fought landlords and the police to resist evictions and save their housing; 'squatter' ones, who had occupied empty offices and luxury dwellings; student ones who had occupied universities to protest racism and no access for the poor; anti-nuclear power activist ones; environmentalist ones; anti-war ones; revolutionary ones from jungles and mountains, and so many more. They were thousands of ghostly spirits from here and all around the world."

"Why were they all on the same train?"

"Because they supported one other and wanted to travel together, to visit where each had come from. They considered each other brothers and sisters who had fought for the same things.

"Remember, at that time the 'Privileged Ones' didn't care about the weakest and poorest who lived among us. Sometimes whole families ended up eating the garbage of others, sleeping under pieces of cardboard, begging in the streets for help, coughing themselves to sleep. It was a shameful period in human history."

"People really lived like that before, Grandpapa? Like the pictures in the history modules at school?"

"I am sorry to say, yes. Thankfully it's different now. So from every window on this ghostly train, those spirits poked out their pale white heads. Some rode on the roofs hanging on to each other, with their long white hair blowing in the wind. Others sat in open boxcars, legs dangling, barefoot. They squinted into the darkness below, searching for their families, for their loved ones, for the friends they had left behind. They were looking for a bit of earthly contact, too: a smile from a child, the bark of an old dog, the smell of smoke from a fireplace, the light on a porch, the sound of card players drinking and laughing. Any sign of the lives they had once known and still hungered for.

"Some called out names. A few got excited and pointed when they recognized a house, a park, a street-corner or a group of friends still together.

"Looking down, these ghostly spirits saw the beginnings in our city of the 'Great Occupations'. They saw protestors camped out in the city squares, under the trees, near the fountains, on church land, wherever there was public or open space. Places we now call People's Park, Anarchist Plaza, and The Free Zone. They saw the signs and banners demanding Social Revolution."

"What's that, Grandpapa?"

"Well, it's really big changes – changes in the way people relate to each other. They saw people camping in the cold, huddled together on the ground, shivering under blankets in their tents. And they cheered them on, clapping and shouting:

'*Keep going! Don't stop! Give 'em hell! Make the rich pay! Squat the City! Occupy everything! Everywhere! Strike! Strike! General Strike! Resist! It's just the beginning!*'

"Things like that. No one heard them, though, except for the children."

"How come only kids could hear them?"

"How come?" He scratched his chin. "I don't know. It's just the way it was."

"And only kids could see them?"

"Yup. So children pointed to the sky shouting, '*Mommy! Daddy! Look! A train!*' The parents looked up, saw nothing, and hushed the children.

'*Go back to sleep. There's nothing up there; just the stars.*'

"But the children couldn't sleep. They were too excited watching the Great Train full of life sitting in the sky just above the tops of the highest towers downtown. It was like another world up there, glowing bright and full of these noisy spirits waving down at the children. So the children smiled and waved back. Then some of the ghost passengers started singing. They sang old trade union songs and all kinds of funny, sad songs.

"Like what?"

He cleared his throat and tapped out a rhythm on the table. "Like this:

'We are, we are / The invisible ones
The angry ones / The living dead
We are the ones / The rich can't see
Because all they see / Are themselves… Ho! Ho!

Greedy and bloated / Overfed and pink
Drunk with cash / They're bourgeois pigs
How they'll squeal / When we chop off their heads
And sleep in their homes / And their clean soft beds...Ha! Ha!'

"Some of the spirits played the accordion; some the banjo and the violin. Some blew trumpets and trombones, harmonicas and kazoos, or banged on drums or the sides of the cars. Some danced on the roofs arm in arm. The train whistled and blasted out great clouds of steam. It was quite a show.

"Meanwhile, many of the passengers felt sorry for the chilly protestors and the homeless below. So they dropped bags of food, warm socks, sweaters, gloves, and even toys and candy for the children.

"Then the Ghost Train slowly circled the city one last time before it disappeared into the black night, tooting its good-bye. But in its trail, it always left a huge rainbow glowing in the dark. Made the kids happy, that's for sure. Of course the adults never saw it.

"In the morning they found the donations scattered everywhere on the ground of the occupation sites.

'*Where did all this stuff come from?*' they would ask, totally bewildered.

"And the children told them, '*From the Ghost Train! Last night! Didn't you see it?*'

The parents shook their heads."

"Did the children get their toys?"

"Certainly. The parents woke up to find their sleeping kids smiling and already holding toys and bags of candy in their hands."

The girl pointed to a small, ancient, red and black wooden toy train engine sitting on a shelf in the kitchen. "And you got that as a little boy, Grandpapa? When you were watching the 'Ghost Train' in the sky?"

"That's the one they tossed to me."

Gathering the Dolphins

Peter Gelderloos

Silvio figured he was the last in a long line of delfinieri. His two daughters had gotten grant money to study in the north, and they had not returned, nor had they married: he would not be able to pass on the tradition. When Silvio was a young boy his grandfather took him out in a little boat to go and meet the dolphins. He told his grandson how in earlier days the waters off of Bari bloomed every morning with a hundred sails of fishing boats and the dolphins would gather to chatter advice and catch the scraps thrown to them by the fishermen. And the delfinieri would follow the fishing boats and tell sad tales to the dolphins. And when the dolphins would cry they would collect their tears in long ceramic jugs set with the seal of the craftsman. The dolphin tears were sold as far away as Stockholm, and were known to be the best cure for a broken heart.

After the war Silvio's father did not come home, but there did come a businessman from the north who owned a new fishing trawler, a motorized vessel that could get to Africa in a day with a headwind and that cast a net so wide and deep it scooped up sunken Templar treasure ships along with schools of fish from such distant corners of the sea. These spoke different languages and would inevitably declare war on one another by the time the nets were hauled in with the simple push of a button. A handful of fishermen were hired on to work this boat while the rest were sent to labor in a place called Mirafiori.

Silvio stayed in his little village outside Bari to become a delfiniere, memorizing all his grandfather's saddest stories. "But being a delfiniere is not about repeating sad stories!" his grandfather used to protest, fed up with his pupil's uninspired apprenticeship. "You can't read from a script. This isn't a television show! The same story told a second time won't have the same effect. All the tears in all the world wash down all the rivers and into the sea, and press down upon them every day. You have to find the best way to express the weight of this sadness, so they know you understand."

But Silvio had more pressing troubles. The dolphins were disappearing, and without the dolphins he could not make a living, nor marry and have children to take up the trade after him. "It doesn't matter," said a doctor who lived in the town. "It's been scientifically proven that people cannot die of heartbreak. That's an unscrupulous legend founded on literary convention. Cardiac arrest, now that's a serious medical phenomenon, but I assure you it cannot be cured with a simple saline solution. It calls for complicated surgical procedures."

One night's moonlight solved the mystery of the disappearing dolphins. Silvio's grandfather saw the late-working fishermen ripping a large carcass out of the endless netting and tossing it overboard.

"What are you doing?!" he shrieked.

"We can't sell them," they shrugged, "but they keep getting caught in our nets."

"Shame on you!" replied Silvio's grandfather, "Shame on the mothers who raised you!" And from then on he shut himself in his house, saving one last bottle of dolphin tears for the day he died.

Silvio kept sailing around looking for dolphins, and his debts mounted up. But not everyone had forgotten about the dolphin tears. A certain royal family of Scandinavia, evidently, was enamoured of the curio and distressed at its gradual disappearance from the market. Through acquaintances in Brussels and New York they sought to have a World Heritage patrimony bestowed on whomever could ensure the preservation of this craft. On the other end, a local business concern had consolidated Silvio's debts, much to his distress, but fortune smiled on him, as they got rumour of the patrimony before any regrettable acts were committed. Without wasting time they incorporated a foundation, hired on Silvio as the resident artisan, and built a floating offshore pen which they soon stocked with dolphins captured at sea. Silvio went to work.

In the mornings he would go out to the pen in a little motorboat painted with the foundation logo and trill the distinctive delfinieri whistle to gather the dolphins, as the rising sun painted itself in the crest of every little wave that crossed the Adriatic sea, from there to a place that lay beyond what they were calling the Iron Curtain.

In the beginning the old stories of his grandfather functioned well. Before the tragic finales the dolphins would all begin bawling and go on long after Silvio had filled all the bottles that fit in his motorboat. Then they would chitter and bleat, motioning towards the floating fence, asking Silvio to help them escape. Silvio would smile sadly, draw in his elbows and hold out his hands palm up. "What can I do?" And the dolphins would bob slowly, supposing that in the weird ways of humans he was somehow unable to take down the wall that others like him had fashioned. But after some months, the dolphins began to lose faith in him. First one, then another, and another, and then the clear majority, would swim away in the middle of his tale, until eventually the dolphins would not come at all when he whistled. They just stared at him cynically, and sunk back down beneath the waves.

His new bosses did not take long to notice that productivity had bottomed out. What was the problem? He responded that the dolphins did not take well to captivity. They did not come when called. The bosses conferred, and decided to contract an engineer, then, who would construct a better pen. In the meantime, Silvio and his new bride had to postpone their first pregnancy. The losses were coming out of his salary.

After one month of unpaid vacation, Silvio was called back to work. The new pen was located in a warehouse district, amidst the factories where the daily catches of fish were cleaned and packed in ice, out of sight of the slender white lighthouse that stood proudly over the harbor. Each dolphin was held in place within the large swimming pool by a harness that could lift the creature above water level to the walkway where Silvio would stand, ready to collect their tears. That way, there was no need to gather them with the traditional whistle. On the first day, after receiving a tutorial on the operation of the new pen, Silvio was informed that new uses had been found for the dolphin tears, and the foundation was expecting an increased output.

Once he was left alone with his dolphins, Silvio pushed the button that hauled them all up out of the water. He strode to the middle of the walkway, standing at eye level with them. Letting the silence gather one dramatic moment longer against the background echo of the swimming pool, Silvio drew in a deep breath and began to tell the saddest story his grandfather had ever conceived. It was the greatest oration of his life. He embellished, he intoned, he counterpoised pregnant pauses with staccato fusillades of rage, and delivered the closing line with the heavy tempo of a funeral march. But when he was done, breathless and almost smiling at the skill of his delivery, not a single tear had fallen.

He told another story, and another, but the dolphins refused to cry. They just stared at him angrily. Finally, maddened with his failure, he ran to the first of the dolphins and seized its head between his hands. "Don't you understand?" he cried. "If you keep on like this I'll lose my job, my wife will leave me! I'll never have a family, I'll have to go to the north to find work in a factory to pay off my debts. And there will be no more delfinieri!"

The dolphin seethed, and Silvio saw the hatred in its eyes, but he also saw the desperate tears welling up there, though it refused to let them fall.

"Cry, damn you! Cry!" And Silvio struck the dolphin in the face. He saw the beast was stunned so he hit it again, and again, pummelling it about the nose. The dolphin could contain itself no longer, and its tears fell torrentially into the bottle Silvio had at the ready. After a minute the dejected thing stopped, and its eyes were dry and red and they would not meet the eyes of Silvio or focus on anything that lay before it. The bottle was half full.

Silvio announced to his bosses that the new facility had passed his inspection, and production would resume on the morrow. That afternoon he took a bus out to the countryside, where he paid a visit to a farmer, in order to buy a second-hand cattle prod. Work continued.

One day, when the weather was stormy, Silvio made the mistake of mentioning the dolphins while having lunch with his grandfather. Of course he lied about his job as always, but this time the mere mention of going to work was enough to raise suspicion.

"But how is it you went to work today? The seas are too rough to gather the dolphins." Silvio muttered that he had only been referring to making repairs on his boat, and changed the subject.

That afternoon, on the walkway, cattle prod in hand, Silvio looked up from the dolphin he had been working on to see his grandfather standing in the doorway, his last bottle of dolphin tears, stored in one of those old kiln-fired jugs, trembling in his hand. The man said nothing. He just stood a moment longer, then leapt forward with an agility that defied his age and seized the nearest dolphin in his bony arms, emptying the bottle over its head, kissing it about the eyes and caressing its flanks. Then he ran off and all the harnessed dolphins, recognizing the passing of the last delfiniere, began to cry more mournfully and profoundly than they ever had before.

Silvio did not see how his grandfather ran then to the harbor, clambered out over the rickety wooden dock where his sailboat once had moored, and threw himself into the black and livid waters, because he was too busy filling bottles with the tears streaming forth from his captives. The first sign of tragedy to mar the day's good fortune came when he discovered that the dolphin that his grandfather had caressed and bathed in tears was stone dead, apparently from cardiac arrest.

The years went on and Silvio was blessed with two little girls. In time he proved to truly possess an inspired knack for his trade, born from the wedding of a methodical persistence to a pragmatic creativity. When his daily logs showed that the productivity of each unit began to fall dramatically after adolescence, to the point where the tear ducts atrophied and could not even be artificially stimulated, Silvio liquidated the entire stock and began ordering juveniles which would be sold off to aquariums or researchers after one year. Such high turnover seemed counter-intuitive since dolphins could live so long but just one year of high output easily exceeded the total price of the unit itself. With little innovations like these, Silvio just managed to keep pace between the rising productivity and the falling price of the commodity.

And the years turned into decades, and Silvio reached and exceeded the age at which he could receive his pension. He kept at it, though, because there was really nothing else to occupy him in his old age. His daughters never visited, though they always called on his birthday and on Christmas. A few years earlier his wife had run away with the foundation president, whose financial history was being half-heartedly investigated. According to some old rumours they were living lavishly together in Lausanne. He tried for a while to court the president's abandoned wife, who was not unreceptive to the idea, but the affair sputtered to an awkward ending before a year was up.

By and by the foundation forced him to retire, though to his protests they conceded one final year so he could train his replacement. The apprenticeship was largely superfluous, and after a few technical lessons Silvio took to educating the young lad on what it used to mean to be a delfiniere, and how the ceramic jugs marked with the unique seal of the artisan made it all the way to a distant city called Stockholm. Soon the apprentice took to avoiding the old man and his senseless stories, and Silvio was left alone to finish out his final year in contemplation.

On the last day of the last week of his last month, Silvio sent the apprentice home early and lowered all the dolphins into the water, seating himself on the side of the pool with his legs dangling down. "Oh, what life does to us," he sighed to his aquatic friends. "You're all too young to remember how it used to be, but your grandparents and my grandparents were the closest of companions. You would help us find the fish, and we would feed you with our own hands. We'd tell you stories, the most beautiful of stories, and when we sailed home in the evenings you'd follow us a ways, leaping into the air, to say goodbye. You wore no harnesses in those days. And in the mornings we would come back and gather you with a whistle that sounded like this."

The trill bounced around harshly within the tiled hall.

Silvio told them of the old days and how the new days had come to pass, and he told of the shallow tragedy that was his life. He spoke for an hour, and when he was done he realized it was the saddest story he had ever told, and the only that was his own. He bent over the pool then, expecting to cry, thinking he might let loose all the tears of a lifetime. But nothing came out. The knot between his lungs would not melt. It had long since hardened, even past the point of feeling. In fact he could feel nothing. And none of the dolphins wept or even looked at him. Their eyes were glazed.

"The truth is, I think there's no more sadness in the world. It's become obsolete." And without knowing the reason why, Silvio stripped off his clothes, piece by piece, folded them and placed them on the tiled floor, and slipped into the pool, immeasurably grateful to feel the water cover his skin.

Flying a Sign

Sandra Jeppesen

You gotta good sign, some girl says, Most people just bullshit they're looking for work.

I'm too young to work, I say. I'm sitting on the sidewalk edge near Queen and Bathurst flying a sign: *Broke, abusive parents*. My hat collects quarters. Do you have a job?

No fuckin way, I don't wanna work, work is for losers, fuckin exploitation of the working class by rich corporate capitalist sleazeballs who pay you like six bucks an hour when they're getting twenty, and then they expect you to slave away while they sit around on their ass telling you what to do. I hate bosses, I don't wanna work, I'm a fuckin punk, fuck work, she says.

I sort of thought everyone worked, that people worked their way up, I say.

As if! How can everyone from the bottom get to one place at the top? It's a mathematical impossibility. What's your dog's name?

Pippi.

Peepee! Hey little pisser, she says, rubbing her behind the ear.

I'm laughing for the first time since the five for five sign.

Pippi, like Pippi Longstocking, girl pirate, I say.

Cool. You wanna go look at records? she says.

The five for five sign is in the window, a matchstick lighting my way in. Potatoes in the five-dollar five-pound bag are too hard to eat. Five dollars is one thing I don't have in my pocket. There are others.

I take the five for five cardboard sign down and flip it over. I'll take you over my knee, he said, but I was smaller then. I fill my water bottle at the tap, give Pippi a drink from it, she licks up the puddles leaving no trail. Where I was yesterday, where I might have been today. Dead maybe. Or fucked.

I choose a park bench for its proximity to amenities and lighting. How it makes me feel safe. Hiding in plain sight. Sleep arrives with full pockets knowing I won't be found here. Sleep shares.

These are the emotions we don't have: happiness comfort excitement shared anything. Love. Compassion. Where can I go when the only connection with my parents is unspeakable? I don't speak. Maybe I have never actually spoken. On park benches I'm looking for voices. Not mine but other people's. Strangers. They don't scare me like the people I know.

The five for five sign is in my backpack, my bus pass to the city, where maybe I can grow into my own steely voicebox. Speak clearly into my own thoughts. Hear myself think. Think myself into my own meanings. The sign is what I make of it. I black marker one word: Toronto. A pointer to elsewhere. Signifying I am not there. Looking for people to pack into my backpack like apples oranges dried cranberries. Like a pack of wolves. Sleep offers these things from pockets when I unbed. Meaning gets out from under the bed and holds me.

Standing on the edge of the road I fall off small towns. The family map unwinds a yellowing brick road behind me. Dog piss in the snow. Flying a sign with one bleak word is all I have left in me. Straightening my camo skirt I catch a ride in ten minutes, my two braids waving in the dirt road dusk.

Hey, I say. Thanks for stopping.

No problem, you looked kind of pathetic standing there, the lady says.

And I was trying so hard to look tough, I say. Laughing a blister pop.

I'm starting school at SEED next week, it's an alternative school, they have the best classes like comic book politics, and how to make zines and silkscreen T-shirts, the other kids are awesome, I met some kids who go there at a punk show the other night, Chazie says. She breathes when she's done. I get a word in edgewise.

You get into punk shows?

Totally, dude. They have all ages shows where they put an X on your hand if you don't have ID so you can't drink, but then we snuck in beer in our bags, so I was in the bathroom drinking with these crusty punks who were all about getting down with cute punk girls, but I don't get down with crusty dudes.

So you don't have a boyfriend?

Boyfriend? No. I had one once but it was nothing serious. Just long enough to lose my virginity, and good riddance, that's something you don't want hanging over your head. Are you a virgin? she asks.

I almost stop breathing when she gives me one of those cute sideways glances.

Maybe, I say.

She's walking two steps ahead of me. We're on Queen Street, people buzz around on the sidewalk. My mind is a hornets' nest of questions like what counts as sex. And whom.

Maybe? she says, stopping. You can't maybe be a virgin, either you are or you aren't.

Maybe it's personal, I say, walking past her.

Hey, I've told you personal stuff.

Whatever, I think you're hiding something about those crusty punks.

The sun is suddenly very hot.

Busted. How did you know that? Okay, I'll tell you what really happened, and then you can tell me if you're a virgin. Deal?

Okay, I say. Air gulps in bulky bubbles down my throat, burns oil bubbles into my lungs. I think she might still be talking but I'm not breathing. Clouds swirl, my knees take a shortcut groundward, the pavement comes up hard on my cop-boot bruised ribs, my head is a tipped coffee cup. There are signs of speaking but it's not me.

Are you okay? she says, I was just getting to the good part where I give two blow jobs at once.

Her face pulls in close to mine like a dentist, my mouth is full of metal dental equipment, probes, scrapers, water-bubblers drowning me, drowning my words out.

What the fuck, don't freakin pass out on me, she says. Can you talk?

I shake my head no. Trying not to pass out, I focus on the two moving curves of her red bihawk. They wave in tandem, balance symmetrically, peak. They balance me.

Let me get your backpack off, she says. She reaches around me and helps it gently slide off as I reach my arms back and let it go. Breathe, she says.

She teaches me to breathe like I'm an alien. Like I don't know anything about oxygen, lungs, the in and out of it all. I think about breathing as she says each simple word: In. Out. In. Out. My breath is a handful of peanuts, some go down, some stick in my throat. I concentrate on breathing out, coughing out the scratchy peanut peel pieces. City breathing. Desire. The peanut chunks soften to peanut butter cups. My steel voicebox feathers.

I'm okay, I say, I'll be okay. Reassuring nobody but myself.

The moon falls, comes unpinned from the sky like I knew it would, despite the cop's boot on my ribs. The sun is a grazing cow pastured in the ups and downs of celestial objects that organize my life. On Queen Street I sit against a brick wall flying a new sign: *Homeless and broke. Abusive father.* Please help. Most people walk right by. Most people therefore do not exist. It puts me in a daze. It's like watching TV. I check out dresses.

I'm pondering knee-high boots when I field another kick. The pain thunders up to the cop's boot bruises. A businessman recedes, his hairpiece a head of iceberg lettuce.

Fuck you! This time I say it out loud.

The personal aspect of his casual violence makes me know I'll be okay. I think about kicking him back but he's long gone and I'm too tired to lay chase. I broke a kid's arm once. But I didn't have to run after him.

I'm in the shower making soap bubbles on my stomach, my back to the water, making sure not to let it hit my bruised apple shoulders. In the hallway a door opens. The bathroom door is locked, I remind myself, looking over. I'm rinsing off and wishing for sisters.

On streetcorners, in coffee shops or libraries I sit. I wait for visions of this escape I had planned but none come. Here I am, still. My mind is a blue box recycling old happiness. I want to live outside that blue box but I don't know where to start. Don't know where to find my very own wolf pack. Where they know what to do with oxygen. How to get it to the bottom of lungs.

You wanna go squeegeeing now that the rain has stopped? she says. She has her squeegee strapped to her backpack.

I don't have a squeegee.

We can score you one from the gas station.

Plus isn't it illegal now? She knows I want to.

Not if you don't get caught.

We sequester a squeegee from the Esso on Strachan. Queen and Bathurst is the best intersection. Lots of back alleys to duck into if the cops come. Chazie has a rhythm. She works the curb lane, I take the streetcar side. The bucket dip, the wet scrub, the dry scrape of water. We take the two first cars at the light, eye contacting drivers. Wait for change from rolled down windows. The lights blink on and off in time to an electric current, the rhythm of punk. After two hours we've made twenty-five bucks apiece. It's a lot more than I would have made flying a sign. Signs can't speak like faces can. No mouths. No body language.

The Bistro is packed with dirty brown tables, high stools, low chairs, skunky beer, punk music, bursting its gravel-scuffed unravelling seams. We book down the back past the toilets, skulk past the waiter upstairs to the patio. Hook up with some kids Chazie knows.

You wanna pitch for pitchers? a random anarchist asks, a guy who looks older, meaning older than me. He goes down to the bar.

I've had a pint and a half when the bartender comes up to clear tables. Hey you, he says. Got your ID with you today?

No, I told you, it was stolen, I say.

Time to leave.

Fuckin that sucks.

Get ID, get served, it's that simple. He stands there watching me pack up.

Yeah, whatever. I finish my pint in one long gulp.

Put that down, you can't drink here.

I just did. Are you coming? I ask Chazie.

What the fuck? We just ordered another pitcher, she says.

Fuck you. Good luck giving out blow jobs, I say.

Good luck finding a place to sleep, she says.

Outside I untie Pippi from the fence. She does the happy dance and licks my face. Fuck sleep anyway. And fuck Chazie. She never was that good of a kisser.

What the fuck? My first wake-up welcome to Toronto comes with a free kick.

You're not allowed to sleep here.

The voice comes from above. It has big feet. Pippi barks. A bit fuckin late for that.

What? Why not? Sleeping's legal, isn't it? I mumble, rubbing travel sand.

Not here it isn't. You can't sleep in public.

Well it wasn't public till you showed up, I say, holding tight to Pippi's rope since cops are scared of street kids' dogs.

He pulls me up by my other arm. His eyes are sausage ends, the uniform an unconvincing Hallowe'en costume. This moment isn't real. What is real is the sun coming up three hours from now. The pavement wearing my pants. Wearing my pants out. I shove my scrappy sleeping bag into its pouch as he lets go of my arm. The moon is pinned to the charcoal sketch sky. The squad car flashing lights a sign of the crime.

Where do you sleep? I ask him.

At home like everyone else, he says.

Not everyone else, I say. Millions of people in the world don't have homes.

Maybe you could get a place to live if you got a job.

What are you new? I'm too young to work.

Then you should be at home with your parents.

Maybe you should be at home with my parents. Then you'd know why I'm not.

I hold onto the moon in one hand, Pippi in the other, and walk away. He kicked me but he doesn't ask my name.

From my room I hear yelling, plates breaking on the wall. Hoodie over my head, pillow crammed on top. The soundproofing doesn't work. I go online, join a game. Background foreground sounds. Fuck you! Your forces are under attack! Breaking glass. Braking streetcars scraping along the turn. Stay in your seat. Fuck you! I shoot everything.

Everything goes quiet. The bad guy walks into the bar. I don't stop to look. I crawl under the bed and stop breathing.

It's okay if you're still a virgin, she says, opening the door with her free hand and glancing back at me. Setting my backpack beside the couch. Any coffee left? she asks the guy at the cash desk who's putting on a record old-school.

I wander around flipping through seven-inches and books, Pippi following me. Loud riot grrrl music, the kind I like. I pick up *The Politics of Punk*, slump onto the couch.

Nope, we're out, he says.

Are you gonna make some more or what? Chazie asks.

DIY dude. Do it yourself.

That's not what DIY means, she says. What ever happened to mutual aid?

Mutual Aid is Kropotkin's theory that Darwin was overlooking an important fact in *The Origin of Species*, which is that species who survive the longest do so through mutual aid or cooperation.

Like wolves? I say.

Yeah, like wolf-packs, he says. Kropotkin's books never became popular, because the whole concept of mutual aid would undermine capitalism.

I decide that I am a virgin. I don't care what anybody else thinks they know about me. My body knows things. My body gets up from the couch, exhibiting signs of life and breath.

Chazie puts the coffee on. Thanks for the lecture, she says. I know what fuckin mutual aid is, it means helping each other out, sharing your toys, taking care of your people.

I steal my own voice.

I am a virgin, I say. Her tongue is on my neck. I take this as a sign. An invitation written in blood. Now at least I have something to lose.

Novelle Anarchiche

Un idillio ma'
Il dito e la luna
A-fluenti
Ivrea
La mitilanza
Il bastione dei fantasmi dei Mori
L'Eredità
1/2

Un idillio ma'

Benedetta Torchia

Synopsis

Je voulais dire *basta* à l'oppression de l'urbanisation sauvage. *Basta* à la pollution. *Basta* au trafic automobile. *Basta* d'être soumise continuellement à des règles étatiques. Cela ne me suffisait plus de faire mes courses avec les groupes d'achat solidaire. Cela ne me suffisait plus de saboter la grande distribution de détergents. Cela ne me suffisait plus de faire du vélo au milieu du trafic. Cela ne me suffisait plus de me distraire de dimanches culturels. Cela ne me suffisait plus de participer aux assemblées citoyennes et aux comités de quartier. Tout cela me semblait être une cage. Interrompre le cycle, en sortir, trouver ou construire l'espace de mon autodétermination. C'est ce que je voulais.

Quando lessi l'annuncio pensai che sarebbe stata la svolta. Quella definitiva.

Volevo dire basta all'oppressione dell'urbanizzazione selvaggia. Basta smog. Basta ore di traffico. Basta essere esposti continuamente a regole municipalizzate che impongono quando accendere le luci o il riscaldamento, quale strada percorrere per non incappare nel cantiere di turno, a che ora andare al cinema per riuscire a trovare parcheggio, quale offerta accettare al supermercato per riuscire, insieme, a mangiare e pagare l'affitto, in quale quartiere soggiornare per riuscire a sostenere una distanza ragionevole tra casa e lavoro.

Non mi bastava più fare la spesa coi gruppi d'acquisto solidale. Non mi bastava più sabotare la grande distribuzione dei detersivi. Non mi bastava più andare in bicicletta nel traffico per non pagare la benzina e per non alimentare un sistema di trasporti corrotto dalle incurie. Non mi bastava più distrarmi con le domeniche culturali. Non mi bastava più partecipare alle assemblee cittadine e ai comitati di quartiere. Mi parevano gabbie; con le sbarre più larghe ma pur sempre gabbie concesse per testare il livello di dissenso al sistema. Una opposizione convogliata, valutata, controllata, eventualmente repressa con qualche nuova trovata: l'esproprio di qualche spazio pubblico, il divieto a manifestare o l'assegnazione di tracciati stradali ridicoli, l'anticipazione dei saldi, i musei gratis, le notti bianche, i Festival.

Interrompere il ciclo, uscire fuori, trovare o costruire lo spazio della mia autodeterminazione. Questo volevo.

L'annuncio recitava:

Nel cuore della campagna marziana, si trova un insieme di edifici di pietra in stato di degrado. Si tratta dei resti di un antico borgo, patrimonio per la storia e il radicamento dell'uomo sul territorio: antico crocevia di mulattiere, riunisce le vie del commercio del miele, gli antichi sentieri monastici e i siti delle feste contadine legate alla semina e raccolta di prodotti locali. La terra d'intorno è abbondante e fertile. Stiamo raccogliendo adesioni per riportare la zona al suo antico splendore e costituire una comunità che, facendo leva sull'impegno concreto di ciascuno e secondo le proprie capacità, sperimenti le forme di un nuovo vivere civile attraverso forme di autorganizzazione. A richiesta sono esigibili i documenti catastali e la concessione comunale a garanzia della piena legalità dell'iniziativa. Rifuggiamo atti di violenza in generale e azioni dimostrative contro la municipalità del territorio su cui ricade il terreno. L'abitazione sarà concessa in usufrutto vita natural durante. Non sono richiesti investimenti finanziari. Astenersi perditempo o svogliati. In nessun caso le abitazioni saranno concesse in affitto. Non si gradiscono investimenti conto terzi. L'impegno in prima persona costituisce unica garanzia per la riuscita del progetto.

Scrivere motivazioni e attitudini all'indirizzo mail fattoria.marte@natuaraliamente.com

Un curriculum di idee senza referenze professionali. Ce l'avevo pronto. Progetti di autodeterminazione. Valorizzazione della storia nel rispetto della sostenibilità ambientale. Allontanamento volontario. Comunità auto governata sulla base di criteri condivisi. Ripristino di antichi mestieri e comunità autosussistente. Perfetto, pensai.

I due anni successivi sono stati durissimi. Recuperare i blocchi di pietra sottoterra, pulirli, erigerli uno sopra l'altro. Riscoprire la coibentazione del tetto in paglia. I fili dei pannelli fotovoltaici si spellavano di continuo nel tempo che passava dalle prime gelate alle ultime gemmazioni. Le more infestanti, gli asini voraci di sementi. I cinghiali feroci. I cani freddolosi. Le tende e i fornelletti da campo. La canna fumaria del caminetto della sala comune che non tirava. Gli edifici che dovevano essere finiti tutti insieme; sempre a metà e sempre spettrali. Per mesi, completamente inutili. I vestiti da lavoro che non valeva mai la pena lavare. La neve, il fango in primavera, la polvere estiva, la poltiglia di foglie autunnali. La fame. Le gambe pesanti, la schiena rotta a non farti sentire la nostalgia del sesso.

L'amore superfluo e l'amicizia ingombrante: sentimenti che c'entravano poco in quel progetto tutto teso alla priorità di avere di nuovo le mura intorno, l'orto pieno, le marmellate in dispensa, gli animali in giardino. Senza recinti. Senza confini. Abbandonati dalla cronaca dei centri abitati.

Qualcuno ha rinunciato. Chi aveva aderito pensando che la comunità fosse una soluzione alla solitudine, cercava amici, fratelli, affetto. Non c'era nessuno disposto a giocare quei ruoli. Non era richiesto, d'altronde: l'unico trasporto era rivolto alla costruzione di una comunità senza il fardello di emozioni troppo mutevoli e di sentimenti pericolosamente vischiosi.

Poi, finalmente, la distruzione che ciascuno aveva operato nella propria vita abbandonando tutto e lanciandosi rabbiosamente col piccone e la vanga sul terreno a disposizione, ha lasciato il posto alla costruzione. In questa fase di sogni molteplici, altri ci hanno abbandonato perché non erano pronti all'intensità di una disobbedienza slegata dalla violenza del rifiuto. L'insurrezione violenta che ciascuno aveva attuato mediante le privazioni, prima, rigettando il mondo e, poi, sul proprio fisico lasciava il posto ad una rivoluzione pacifica che ci consentiva di riprogettare le funzioni delle costruzioni, il nuovo borgo, le nuove attività.

Un idillio, continuavo a ripetere a mia madre al telefono, quando scendevo a bere il vino dell'osteria e portavo, in cambio del bicchiere e della telefonata, funghi, castagne o mirtilli. Un idillio mi ripetevo sulla via del ritorno. Ed è così: pesante da dire, complicato da spiegare.

Solo una cosa man mano diventava difficile: più ci si discostava dalle urgenze, più si sprofondava in un meccanismo decisionale farraginoso. I tentennamenti e il cauto confronto iniziavano a trasformare le nostre assemblee settimanali in qualcosa di troppo simile alle riunioni di condominio. Più ci si incamminava verso la ricostruzione più ci sentivamo persi nel mare delle possibilità da scegliere, delle faccende da risolvere.

Fino a ieri, il postulato era uno e uno solo: per vivere in una società senza leggi imposte bisogna interiorizzare a tal punto le regole della convivenza civile da non dover essere soggetti alle imposizioni di un regolamento esterno. Sottrarsi alle regole del governo per creare forme di autogoverno. Questa la nostra utopia.

L'unanimità, il nostro teorema da applicare alle questioni che ci riguardano. La nostra stella polare e, come quella, ci mostra la direzione pur rimanendo irraggiungibile. La comunità, l'assoluzione da tutti i mali.

A minarci, le riunioni di condominio; di continuo. L'unica fortuna consiste nel fatto che siamo un gruppo forte, ormai. Resistiamo a tutte le tentazioni e non ci pieghiamo: nessuna alzata di mano, nessuna elezione, nessuna maggioranza, nessun rappresentante che parli al posto della nostra molteplicità. Nessun amministratore, nessun delegato. Un cataclisma di voci. Un collettivo di idee e proposte che via via assumono le fattezze di un rito.

Quando prendo la parola, vengo spesso zittito con la reiterante accusa che la mia autoregolamentazione si presenti come figlia di una idea disordinata di autogoverno. Sembra che la mia camicia di flanella sia mal tollerata e, strusciando, produca fenomeni elettrostatici e insieme le prime forme dell'arcaico connubio libertà e caos. D'intorno, mi rinfacciano che per me il concetto di libertà venga posto in essere alla stessa stregua di re Mida che trasformava lo stagno in oro; un disimpegno leggero, casuale e primitivo come il gesticolare delle mani. Ancora non mi riconoscono l'esercizio quotidiano e il naufragio delle mie semplici e originarie utopie sulle zolle rivoltate, sui mattoni cementati e sulla mia testarda permanenza qui.

Il primo con cui mi scontro è il maestrino. Quello preciso che ha studiato il greco. Quello che ogni volta apre le assemblee declamando che la nostra non si configura come forma oppositiva allo stato ma è un esperimento contro il potere costituito dello stato, contro l'ordine precostituito ma non contro un singolo soggetto e oggetto del potere. Il nostro essere comunità si fonda sull'autonomia e sulla libertà degli individui. E poi fa l'elenco, per punti, snocciolando sulle dita le cose da fare: sterilizzare i barattoli, rinforzare il cancello, ripristinare il comignolo, disporre la legna, consolidare la casetta degli attrezzi, negoziare con la società elettrica. E quando pronuncia la parola "ordine", ad esempio, procediamo con ordine, ordine fondante, ordinamento, ordine del giorno, ogni volta, ha un cedimento nella voce. Una specie di tremolio che lo avvicina al piacere dell'amore, che lo esalta senza fargli perdere la ragione. Lo odio. Mette a posto gli attrezzi che usa, dispone con dovizia le calzature da lavoro, ripone le carte nell'ordine giusto, allinea i piatti in tavola, misura col filo di piombo gli spigoli che inventa. Ordine. Ordine interno e ordine esterno che vivo come forma di autocastrazione, altro che orgasmo.

Di solito, poi, nella discussione mi viene in aiuto il tipo che cita sempre la stessa frase: "il governo sull'uomo da parte dell'uomo è la schiavitù". A parte questo, ogni tanto, è simpatico. Soprattutto quando sostiene che anche l'ordine precostituito è una forma di governo aprioristico e, dunque, se l'ordine non è l'esito di una catalogazione condivisa, non è assumibile come protocollo lecito a definire le prassi del collettivo. Dopo questo intervento scatta quasi la rissa verbosa circa la soggettività dell'ordine, i numeri cardinali e le metodologie classificatorie. Quasi mai, intrapresa questa strada, la conversazione riesce a virare e ritornare all'ordine del giorno.

Ed è proprio quando la disputa si fa accesa che si affaccia quello che tutti chiamiamo Lev. Amante dei gran sorrisi e del quieto vivere. La prende alla lontana: inizia a raccontare degli uomini che, per natura, sono liberi e uguali e che qualsiasi legge si manifesta come falsa e ingiusta. Continua dicendo che qualsiasi regola è illegittima e che, per essere veramente liberi, si deve uscire dall'incoerenza di considerarci più o meno nel giusto, liberandoci dal contrasto tra disordine e ordine. Il fine ultimo è quello di sposare definitivamente un ordine superiore e innato dominato solo dalla ragione. L'ordine è una chimera come l'illusione della necessità del potere costituito, come l'afflato mistico verso un dio garante di un universo superiore. Cercare dentro di noi e non fuori. Meno punti elenco e più priorità a noi stessi.

Amen a lui e alla sua religione umanizzata e senza fede. Più ragione e meno dogmi.

Ma è la forma di organizzazione libero associativa che dobbiamo perseguire, ribatte Barbetta. Barbetta è un tizio che quando l'ho conosciuto aveva un pizzetto curatissimo e il foulard al collo. Il pizzetto è diventato barbetta ma quel foulard non se lo toglie mai, neanche quando va a dormire. Ce l'ha disegnato sul collo, quel pezzo di stoffa. Per urlare più forte e per non sciuparsi la voce. La sua idea è quella di modulare le libertà individuali sulla base delle necessità perché, altrimenti, se si rimane schiacciati dalle prime non si può essere davvero liberi in quanto l'uomo è un animale sociale. E' in base alle diverse necessità che ci si deve organizzare per soddisfare le esigenze individuate o stimate, senza altra limitazione che le capacità e le esigenze dei soggetti interessati con tutto il carico dei bisogni e della capacità di condividere e partecipare. Si vergogna ad avere un passato da comunista dichiarato. Sembra ogni volta sul punto di urlare "ognuno secondo le sue possibilità". Nell'annuncio ha avuto il coraggio di scriverlo ma così a voce, nella discussione, davanti a tutti, si ferma sempre allo steso punto e non finisce mai né la frase, né il ragionamento.

Ed è su questo silenzio che si intrufola Lia per esprimere ripetutamente i suoi dissensi. E' come se la parola possibilità la mandasse in cortocircuito. Come se in testa le si riaprissero i mille rivoli del mondo; è come se soffrisse ancora la scelta di essere qui con noi perché le ha fatto escludere tutte le altre forme di contestazione possibile. Contro le discriminazioni sembra che ancora la nostra comunità non abbia fatto granché. Non dimostra mai abbastanza di essere antirazzista, antisessista, antispecista, antimilitarista.

Le chiedo, ogni tanto, come io possa fare per dimostrare qui, su due piedi, di essere antimilitarista. Come faccio a ribadirlo. Le chiedo se debba costruire un golem di fango col forcone in mano e abbatterlo a calci. Mi urla in faccia che il mio sarcasmo è distruttivo perché è figlio del mio sessismo.

A volte rispondo. Rispondo che se vuole sollevare le cataste di legna non mi opporrò mai più. Lo giuro. Mi farò i cazzi miei e basta. Però, se la vedrò strapparsi le sopracciglia con la pinzetta e lasciare i peletti nel lavandino la denuncerò pubblicamente. La questione degli assorbenti poi, bisognerà pure affrontarla. In fondo, avremmo voluto rescindere il contratto col comune perché eravamo sicuri di non produrre rifiuti non biodegrabili. Tutto quello che gira qui intorno, in un modo o nell'altro diventa compost e materiale isolante. Ma gli assorbenti no. Quelli dobbiamo smaltirli. E' soprattutto per quelli e il detersivo igienizzante che continuiamo a pagare la piccola retta per lo smaltimento rifiuti. Bisogna anche ricordarsele certe cose. Lo smalto e l'acetone.

Mi guardano tutti malissimo quando tocco esplicitamente l'argomento e, solo a quel punto, salta su il paciere a mettere in relazione concreta la nostra esperienza con gli esperimenti lontani che ci hanno preceduto. Inizia da così tanto lontano che va a ripescare sempre la solita storia delle antiche comunità spagnole che hanno lavorato per le collettivizzazioni delle terre confiscate ai latifondisti abolendo la proprietà privata e tutta questa roba qui. Mentre la metà di noi rivolge gli occhi al cielo facendo finta di controllare le pieghe della calce sulle travi del soffitto, lui si ricorda di dover chiudere la favola evitando almeno il finale. Qui nessuno è scaramantico ma è sempre preferibile non citare le sconfitte contro il potere militare dei franchisti e i tradimenti opportunisti degli stalinisti. Non si sa mai.

Barbetta allora si riprende e cita Antigone: “non ho vergogna di sfidare il potere e mostrare l'anarchia in città”, come nella grande tragedia *I sette contro Tebe*. E noi siamo sette. Le coincidenze ci ammutoliscono e ci riconciliano tutti nel considerare l'abolizione del potere come condizione necessaria per raggiungere l'obiettivo di una nuova evoluzione sociale. E però tutti facciamo un passo indietro mentalmente perché l'abolizione dello stato non annulla l'organizzazione sociale ma ci spinge verso una comunità non gerarchica. Siamo stremati dalle discussioni e siamo tornati all'inizio. Ci preme non rimanere schiacciati tra le spire di questo nostro vivere per mostrare che la democrazia può non essere trasformata in oclocrazia; non volgiamo consegnare un trampolino per arrivare a un governo di massa. Massa è una brutta parola. Ci piacerebbe trovare la formula con cui continuare a parlare di popolo e non di gente guardona, seduta lì fuori, ad aspettare le nostre sconfitte. È la massa che elegge il monarca; è questa ricorsività dei format politici che stiamo cercando di spezzare. E' questo che stiamo cercando di sventare col nostro esperimento. Lo sappiamo cosa dicono lì fuori di noi. Visionari. Pazzi. Anarchici. Maniaci.

Guardiamo le nostre mani che tanto hanno faticato e hanno creduto di poter piegare gli eventi e gli istinti e ci ricordiamo quanto sia vacuo anche il potere della nostra volontà.

E dopo due ore ancora non abbiamo deciso chi debba andare, stavolta, giù in paese per telefonare a casa e dire che si sta tutti bene.

Il dito e la luna

Carmen Zinno

A Mattia che poi guarisce

Synopsis

La voix de l'autre côté du téléphone est pour Mattia une grande surprise. Il s'agit de celle du garçon qui l'a porté dans ses bras après qu'elle ait été frappé par un colis piégé pendant les représailles suite à une manifestation contre l'état, à Rome. Mais Fabio a tout autre chose à lui raconter. Une nouvelle qui bouleverse le sens commun mais pas celui de l'amitié qui, avant toute chose, vient renforcer la rencontre si funestement ambiguë entre les deux qui, désormais, après cette communication téléphonique peuvent se dire ami-e-s pour la vie.

- Pronto

- Mattia?

- Si... chi parla?

- Non ci conosciamo. Cioè, ci siamo visti... ti ho preso in braccio... però tu non mi conosci... senti, mi ha dato il tuo numero Teresa... la tua...

- ...ragazza. Dimmi...

- Noi ci siamo già parlati, io sono Fabio. Ti ho preso in piazza, quando ti è arrivata addosso la...

- Sei tu? Davvero? Ciao...

- Ciao.

- Cioè, grazie, non mi hai salvato la vita, lo so, però... si, ricordo che non riuscivo a muovermi e mi hai...

- Ti ho portato alla croce rossa...

- Mi sa che non era la croce rossa...

- Vero, mica era una guerra? Insomma... all'ambulanza...

- ... grazie, davvero, ma il mio numero l'hai avuto da... Teresa?

- Si.

- Ma la conosci?

Ho notato che alla televisione, quando dicono che c'è stato un tot x di feriti gravi e un tot y di feriti non gravi e un tot z di morti, solitamente queste due ultime cose sono piuttosto immaginabili: un bernoccolo, un taglietto, una slogatura, una distorsione laddove il fattore z, in questo caso, resta assolutamente immaginabile perchè da morti la posizione, quello che succede al corpo voglio dire, è quello. Lievemente feriti significa che ti trovi davanti il buon dottore del pronto soccorso che ti medica e ti da il 'diploma del coraggio' – con la scritta 'diploma del coraggio' che viene fuori dalla nuvola di fumo della pipa di braccio di ferro – che poi i tuoi genitori incorniciano apposta nello spazietto accanto all'entrata del bagno, lì dove cade l'occhio di tutti, zii, cugini, ospiti, idraulici che riparano i tubi del cesso, lì dove tutti vengono a passare per proseguire in più scarichevoli marche di presenza corporea, ecco lì, proprio lì accanto alla porta del cesso, i tuoi hanno sistemato quel maledetto 'diploma del coraggio' apposta – l'ho pensato subito, fin da quando a tre anni mi sono rotto la testa contro lo spigolo del tavolo, guadagnandomelo – apposta perchè fossero loro ad elaborare, e non certo io, che il bambino, svincolatosi dalle ossessive attenzioni destinate a un treenne, si era finalmente fatto male per bene. Quattro punti sulla fronte sopra l'occhio destro. Peccato per il sopracciglio non intaccato. Chi l'avrebbe detto che avrebbe fatto fico quando crescevo una lineetta piratesca visibile perchè non ci crescono più le ciglia...? Ma quello che volevo dire è che, insomma, quando alla televisione dicono che ci sono stati dei feriti gravi, uno non se lo immagina che c'è gente che perde un dito.

A una manifestazione, per esempio, c'è gente che perde un dito.

Io.

Coefficiente del fattore x.

- Non è che la conosco... Teresa. Diciamo che... Senti ma poi in ospedale che ti hanno detto?

- Eh... bella domanda... che mi hanno fatto vorrai dire...

- Beh, non eri messo bene. Si vedeva l'osso. Mi sono spaventato molto, pensa che la notte non riuscivo a prendere sonno, anche perchè...

- Si, una roba incredibile. Penso di aver dormito due giorni di seguito dopo.

- Senti ma, poi dopo non l'hai più vista Teresa?

- Lì alla manifestazione?

- Si.

- No, l'ho rivista dopo questa due giorni comatosa, ma credo sia venuta in ospedale quando dormivo. Credo. Perchè?

In realtà, quando ci penso, mi viene voglia di muoverlo questo dito che mi cresce nello stomaco.

I medici mi hanno piegato il braccio sulla pancia e me l'hanno fasciato in modo da far entrare il mio dito, quello esploso ovviamente, nell'addome. Me l'hanno cucito dentro all'addome, dico, dopo aver constatato che del mio precedente dito, quello con cui sono nato, il mio bel dito preciso, che si appoggiava al dorso della penna quando scrivevo, il mio autorevole dito, capolavoro d'ingegneria biologica, che rispondeva SILENZIO appoggiandosi sulle mie labbra, il mio dito che tirava fuori l'uvetta dal panettone, che mi aiutava a sistemare le caccole che toglieva dal naso dentro ai buchi della presa di corrente, il mio bel dito di cui settimanalmente mangiavo l'unghia, limandola poi con i denti di sotto, il mio bel dito che s'infilava tra le gambe remote della zingara felice, e che mi veniva voglia di leccare dopo... - perchè non l'ho mai fatto? - ecco di quel dito, rimaneva ben poco.

I medici dicono che ci metterà qualche mese, ricrescerà la carne e che me lo riaggiusteranno con un tocco di chirurgia sul resto di falange che ora è avvolta dalle fasciature.

Non me la figuro senza dito questa mano. Pensarlo poi nello stomaco... mi fa quasi venire una specie di grottesco solletico. Piccola farfalla splatter, resta lì ferma dove sei.

Mi fa malissimo se provo a muoverla, sta mano, anche solo di un millimetro.

- Perchè... boh, mi sento... Mattia, senti, tu hai perso un dito, quindi penso che puoi immaginare quanto... cioè certe volte le cose che succedono sono assurde. Veramente troppo assurde...

- Si, è vero, figurati, lo dici a me...

- Cioè io sapevo che era la tua ragazza... diciamo che lo avevo capito.

- Ma chi? Teresa?

- Si.

- Ma perchè, scusa, fammi capire, è successo qualcosa a Teresa?

Quando mi è esploso addosso quel coso, non m'immaginavo di finire senza un dito. Un buco rovente di tempo, un istante di fuoco, e ho cominciato a pisciare sangue. La piazza non si è accorta subito di me, del mio sangue. C'era troppo fumo, sirene della polizia, grida ingarbugliate di dolore. Fumo, fuoco e il mio dito che stramazzava. Ho gridato. Forte. Qualcuno si è fermato, mi ha messo le braccia intorno al collo, si è tolto il passamontagna per guardare meglio la mia mano, e ha fatto una smorfia di disgusto e di terrore che però, appena mi ha guardato negli occhi è cambiata. Tenerezza. Fermezza. Le stesse note me le ridava ancora, metalliche, la sua voce di adesso. La sua voce nel telefono. Ricordo che in quel frangente, dopo quella specie di sparo, mi diceva di stare calmo, di non preoccuparmi, che ci avrebbe pensato lui a tirarmi fuori da lì. Non ho perso conoscenza, ma mi ha trascinato di peso verso la prima ambulanza. Mentre gli infermieri-arance mi guardavano, urlando per coprire le mie urla e i miei pianti di dolore, l'ho visto buttare via il passamontagna dentro un cestino dei rifiuti. Ricordo che è venuto ancora verso di me e mi si è accovacciato accanto. Una carezza sul ginocchio mentre chiedeva agli infermieri che succedeva, e se mi dovevano portare via, e quando cazzo mi portavano via che perdevo un sacco di sangue manco fosse un parto! Tra un po' però, con un bel cesareo, mi toglieranno dall'addome il mio pargoletto dito e me lo ritroverò sulla mano... come niente fosse... ma chi ci crede?

- No

- Ma da quando vi conoscete?

- Dalla manifestazione.

- ... ma quindi ti ha dato lei il mio numero perchè...

- Volevo sapere come stavi, ma volevo anche dirti...

- Cosa?

- Che insomma poi... lì alla manifestazione... lei piangeva, siamo scappati dietro di te, dietro l'ambulanza, in motorino, ma quando siamo arrivati in ospedale, abbiamo chiesto di te e tu eri lì che urlavi... era scioccante. Teresa era disperata e che io avevo parcheggiato il motorino a Termini, per cui... era tutto bloccato, la metro...

Una vagonata di ustionati e feriti e l'ambulanza decise poi di partire. Il ragazzo che mi aveva soccorso, lo stesso che brancolava adesso sul filo d'alluminio tagliente delle parole che riusciva a racimolare, mi diceva, qualche settimana fa, che non sarebbe venuto in ambulanza con me perchè non voleva togliere il posto a uno che magari ne aveva bisogno. Credo di averlo supplicato di venire, senza pensare che non sapevo nemmeno come si chiamasse...

Fabio.

Che nome del cazzo.

- E boh, poi hai deciso lì di prenderti il mio numero e chiamarmi?

- No. Mattia, no.

- Fammi capire scusa...

- Volevo chiamarti perchè... si certo, mi dispiace per sta storia del dito, veramente, che poi io ho visto tutto. Ho visto che ti è arrivata sta ravanata addosso, e me lo immagino che nessuno ti crede...

- Già...

- Si, tu capisci, al dito... sembra ovvio...

- Che la lanciavo io... lo so ...

- Si, ma ho tutto, io ero lì...

- Si, ma in tutto questo, Teresa?

- Teresa... te lo devo proprio dire?

- Mi devi dire cosa? Ma che c'entra Teresa?

Dicono che c'è un vecchio saggio in oriente, che quando lui indica la luna allo stolto, questo guarda il suo dito.

- Ci siamo fatti una...

- ... scopata?

Forse se il dito non ce l'hai e non puoi indicarla più la luna, lo stolto è chi non si cura di quanto sia importante quel dito che non hai.

- Mi dispiace... vorrei poterti dire che non sapevo che era la tua ragazza...

- ...

- Ma è evidente che lo sapevo... solo che non sono riuscito a ... lei era così... affranta... Diceva di sentirsi in colpa per averti perso di vista... abbiamo passato del tempo seduti lì sul marciapiede con la paura che gli sbirri ci rompevano le palle. Ma lei non si voleva muovere. Non ce la facevo a mollarla lì... era così...

- Guarda che lo so come era... so com'è la mia ragazza...

- Senti, io ti ho chiamato perchè mi sento davvero un vigliacco e...

- Ma perchè non l'ha fatto lei? Perchè non mi ha detto niente?

- ...

- Perchè?

- Questo non lo so... forse non la reputa una cosa così importante.

- Cosa?

- Dirti sta cosa...

- Ma scusa ma...

- Infondo è stato solo un modo per... Era un delirio... ho visto miei amici presi a calci da quelli del Sel. Qualcuno li portava perfino dagli sbirri... incredibile. Poi ho capito l'algoritmo: essere sbirri e benpensanti di sinistra è la stessa cosa.

- Ma che cosa dici? Allora siccome era tutto un delirio tu vai con la mia ragazza, dopo che mi hai appena visto col dito monco da una bombacarta? Ma sei proprio uno stronzo!

- ...magari hai ragione...

- Certo che ho ragione....

- Però...

- Però?

- Però non ci puoi rimanere così male, dai, infondo è da borghesi...

- Senti, non mi tirare fuori i fricchettonismi adesso...

L'ultimo ricordo che ho di lui, è quel sorriso gonfio come un salvagente che mi sorreggeva. Lo vidi dal finestrino dell'ambulanza in corsa, tra l'azzurro e il bianco degli adesivi esterni, mentre mi portavano via.

Sorrideva così forte che sorrisi anch'io.

Infondo aveva una bella faccia, sto scemo.

Mi fece quel gesto, il dentro di una mano che si appoggia sull'altra chiusa in perpendicolare. Quel gesto che si fa sempre per dire che è ora di svignarsela. Prima, si appoggiò gli indici sul petto. Come a dire IO. E poi lo ripetè due volte, quel gesto lì. Che se ne stava andando.

Era per rassicurarmi.

- Senti, io penso di averti chiamato perchè volevo sentirmi dare dell'imbecille...

- Però che aspirazioni hai nella vita.

- E poi dopo che ti sei sfogato, vengo a citofonarti, perchè Teresa mi ha detto dove stai, e ci beviamo una birra...

- ...

- Lo so che ti sembra assurdo, ma...

- ... non mi sembra assurdo... solo che...

- Che?

- Che cavolo, cominciare a frequentare qualcuno che è andato a letto con la tua tipa, è una cosa...

- Assurda?

- Si, ma...

- Quanta gente costruisce i suoi rapporti sulle cose che non si dicono...

- Parli come un prete...

- Ma pure un po' ... che ne so... non ti pare esaltante? ... Se facciamo questa cosa

- Cosa?

- Farci un giro io e te... parlare un po'. Tanto a pugni non mi puoi pigliare...

- Figurati... ma che me ne frega di prenderti a pugni...

- Poi... boh, tutta sta palandrana inutile, la tua ragazza, la mia ragazza, cioè... col casino che c'è... ti assicuro che è stata solo una cosa del tipo... "Mi dispiace che piangi e ti colpevolizzi, ti faccio un caffè da me, e poi ti faccio una carezzina, e poi ti propongo di vedere un buon film... e poi rimani a cena da me perchè tra una cosa e l'altra si parla bene..." Appropposito. In gamba la Teresa...

- Ma che stronzo...

- é stata davvero una roba semplice, perchè...

- Non ti sei tenuto il pisello nelle mutande.

- . . . lo sai come vanno ste cose

- Si va bene... i figli dei fiori e l'amore libero.

- Ma tu veramente non lo vedi quanto è cretino chiederti scusa per questa cosa...?

- Un pochino.

- Dai, voglio dire, è una cosa che succede... chè è sto misticismo? La mia donna, il mio uomo. Cioè alla fine... quello che condividi con qualcuno non è che implica per forza di cose... prendi i Basuto!

- Che sono i Basuto?

- Sono dei tizi che vivono nel Lesotho, Sudafrica

- Mbè...?

- Una volta sono stato in un museo di arte africana dove si parlava di sti Basuto... Loro addirittura quando non sono certi di soddisfare sessualmente le loro mogli – tutte le loro mogli intendo – o queste vanno con i suoi fratelli, e la cosa è del tutto pacifica, oppure il tipo gli paga addirittura uno che a lei piace... cioè voglio dire... mi pare estremo come caso, ma insomma, mi pare che l'unico campo in cui sicuro non c'è proprietà privata è questo...

- Te la sei studiata bene la lezione… E poi non so se le cose stanno proprio così

- Forse il mio esempio era un po' astratto. Non capisco però cosa ci sia di tanto brutto e perchè siamo costretti a restarci così tanto male se uno usa come gli pare gli organi adibiti alla...

- Senti, taglia...

- Perchè?

- Perchè è evidente che se tutti s'inventano degli stratagemmi per appianare sta cosa vuol dire che è un problema! No?

- Va bene, però... se ci pensi solo un attimo su, il problema non c'è. Che ti toglie scusa?

- …

- O no?

- A che ora vuoi venire?

- ... pensavo verso le 7, daccordo?

- Si... dato che non ho niente da fare...

- A dopo...

- Ma non mi devo preoccupare, non è che mi apri col kalasnikoff? Oppure litighi con Teresa... dai ste robe da medioevo no...

- No tu però pensa a presentarmi la tua di ragazza appena possibile. Altro che Batussi...

- Basuto.

- Me ne paghi due di pinte. Da un litro ciascuna... che sono due settimane che non mi fanno toccare niente.

- Mattia... vedrai che guarirai presto.

- Lo so. Ciao

- Ciao.

Sarà pure un gran saggio, quello dell'oriente lì, che col suo dito indicava la luna... ma non ho capito perchè uno che guarda il dito debba per forza essere uno stolto.

Infondo, forse, ha più senso indicarla, che la luna in sé.

A-fluenti

Edoardo Olmi

Synopsis

L'oubli. C'est à dire l'histoire qui ne s'écrit pas dans les manuels ni ne se transmet par voie orale, parce qu'occultée, cachée. Comme pour la révolution espagnole pendant des dizaines d'années, comme, qui sait pour combien de temps encore, pour les tueries de l'Etat italien ou la vérité sur les disparu-e-s en Argentine. Mais la vérité profonde qui a été emportée par les marées de l'Histoire refait surface avec ceux et celles que l'Histoire même oublie. Ceux et celles que les généraux appellent « effets collatéraux ». Et pour ce faire, on doit nécessairement parler le langage des fleuves qui coulent, un langage silencieux, crypté et prohibé.

Tutti chiamano <<violento>> il fiume che straripa,
però nessuno chiama <<violento>> il letto che lo opprime.
Bertolt Brecht

Cantano i poeti e si fanno memoria
dell'inutilità e del danno della Storia.
Les Anarchistes – Il maggio di Belgrado (da un testo di Erri de Luca)

- Mamma?

- Sì?

- Mamma..

- Adele! Dimmi.. - Gabriella si riaggiusta l'abito lungo sulla spalla sinistra.

- Don Claudio dice che quando le persone sono malvagie e.. e pensano che tutto dipende da loro il Signore poi le punisce per la loro presunzione e.. e lascia venire il Diavolo che gli fa un dispetto brutto per portarsele all'Inferno!..

Gabriella tiene gli occhi impassibili sulle mani che massaggiano una sottoveste. Eppure glielo avevano detto - pensa - fin da quando si erano iniziati a frequentare. Glielo avevano detto persino le sua amiche. Quando si erano fidanzati aveva avuto piacere più mamma Anita di loro, e il resto della famiglia piuttosto. Assecondarli era stato come far del bene ai ciuchi!

- E.. e invece - insiste la piccola Adele - dice sempre Don Claudio che se le persone sono buone, rispettano i comandamenti e.. e dicono sempre una preghiera a Maria per i loro bambini allora può succedere che il buon Dio si innamori così tanto da volerle portare subito con sé in Paradiso!..

Il vuoto infondo allo sguardo di Gabriella si fa a poco a poco più lustro. Dice bene il Pacetti lì alla Casa del Popolo, e anche l'Elda. Non si sapeva regolare. Strullo com'era e con tutti i grilli che c'aveva per il capo. Sempre fra le nuvole ce l'aveva! Già da quando s'era messo in testa di prendere quegli arnesi a macchinone insieme a quegl'altri suoi amici, e aprire la ditta lì a Pontassieve. O non faceva meglio ad andare a lavorare al cementificio pure lui, come tanti che erano rimasti fuori dal lavoro nei campi? No, lui doveva sempre fare lo stravagante, quello più avanti di quegl'altri..

- Il babbo adesso è in Paradiso insieme a Dio, vero mamma? - Adele abbozza un sorriso che la mamma raccoglie appena in tempo per strozzare le lacrime.

- Amore, certo! Babbo è lassù fra le nuvole che ci guarda e ci protegge con l'aiuto del Signore.. - e con un gesto della testa Gabriella accompagna verso l'alto l'occhio scrupoloso della figlia, mentre fra le mani comincia a strizzare un paio di calze. Vedrai che c'ha ragione il Bambati - continua a rimuginare - diceva diceva, ma era lui ad essere troppo comandino con sé stesso e con quegl'altri. Era troppo egoista, ecco. Voleva troppa libertà di fare come gli pareva e metteva tutti in difficoltà. O non se n'era accorto ancora che tanto i ricchi restano sempre ricchi e i disgraziati restano sempre disgraziati?! Si sarà impuntato di sicuro per guidare il camion anche se aveva fatto la notte bianca all'ospedale dalla bambina.. pensava sempre di essere un mezzo dio lui, non ho capito!

- Su Adelina bella, adesso vai a giocare un po' sulla secca con Ramona e la Selva, che mamma finisce di asciugare i panni e andiamo a casa!..

Adele sgambetta via scapicollandosi dalla sorella maggiore, tutta intenta a fare il bagno ad una bastardina guercia dall'occhio destro, l'addome pallido e quasi glabro sotto un pelo raso tendente al marroncino.

- Il babbo è in Paradiso insieme a Dio che ci guarda!.. - sentenzia soddisfatta.

Ramona apre ad un sorriso laconico il suo volto, senza distoglierlo da Selva.

- E chi te lo ha detto?

- Me lo ha detto Don Claudio.. - puntualizza Adele come sulle note di una filastrocca - e lo dice anche la mamma!..

- La mamma te lo dice per farti contenta, testa di piccione! E poi sa una cesta lei che cosa dice davvero Don Claudio del babbo.. A me la volta scorsa durante la confessione mi ha detto che babbo era uno senzadio che bestemmiava sempre ed era pieno di peccati capitali. Lui queste cose le sa anche se il babbo non andava mai in chiesa, a Messa o a confessarsi. Anzi dice che le sa proprio per questo, perché poi Dio gliele dice, certe cose, che ti credi..

- Smettila di chiamarmi testa di piccione!

- Va bene bocca di carpa - sobilla Ramona mentre si diverte a passare il sapone sulla coda indocile di Selva - ma alla fine mi ha dato dieci Atti di dolore da dire per la prossima volta. Dice che babbo era un bandito della Città di Dio, e che per questo il Padre Eterno, che adesso è il nostro vero padre, ce ne ha volute liberare. Dice anche - rincara la giovinetta con aria un po' da maestrina - che per punizione il babbo è stato fatto cadere da Satana in fondo al fiume, e che adesso la sua anima è laggiù prigioniera del custode della Città, una specie di grande mostro marino che per dare a tutti l'esempio la terrà per sempre infondo all'Abisso!..

- Buuuuhh - scoppia a frignare Adele - non è vero, il babbo è con Dio in Paradiso!

- Sì certo, e Cristo è morto di sonno! - ridacchia Ramona coprendosi con un palmo la bocca e Selva ne approfitta per sgattaiolare via - Non fare casino che poi sennò la mamma se la rifa un'altra volta con me! E poi cosa vuoi? - intima alla sorellina sollevando lo sguardo all'orizzonte del piccolo paese di Rignano, che sembra penzolare aggrappato lungo il crinale del colle per non precipitare anch'esso nell'Arno - Guarda che è anche colpa tua se babbo ha avuto l'incidente.

E' per le tue cavolo di broncopolmoniti e attacchi d'asma che doveva fare le notti all'ospedale, e poi il giorno dopo andare a lavoro. Lo diceva pure il Tellini al funerale che quel giorno lo aveva visto parecchio stanco e gli aveva consigliato di non prendere il camion, ma lui aveva risposto che c'era da lavorare per pagarti le cure. Già che quel giorno mancava pure il Piccinini per via della moglie che aveva appena partorito!

- Uffa, non è vero - brontola Adelina asciugandosi la faccia a suon di polsi e metacarpi - il babbo doveva partire per andare a fare un viaggio sulle nuvole, io che c'entro!..

- Ah ah! Un viaggio davvero mozzafiato! - Ramona si avvicina un poco carponi alla sorella più piccola, sovrastandola comunque in altezza, quasi a volerne consolare il pianto dall'alto della propria fresca autorità mestruale. Il tono della sua voce si fa allora più sommesso, come intonandosi alle acque che scivolano via lì accanto.

- Sai, l'altro giorno mentre ci baciavamo di nascosto con Fulvio nel bagno della Croce Rossa abbiamo orecchiato il Bernacchioni che parlava dell'incidente insieme al babbo di Fulvio. Diceva che quelli come il nostro babbo ormai non se li caca più nessuno, durante la Resistenza non sono stati neanche insieme agli altri partigiani e perciò non li hanno invitati nemmeno per la Costituzione. Il babbo poi - prosegue Ramona con quel tipico senso di piena eccitazione sovrana che hanno gli adolescenti affacciati chiavi in mano sulla soglia d'ingresso alle stanze degli adulti - era uno di quelli che chiacchierava troppo, parlava a sproposito un po' di tutti e senza il dovuto rispetto per gli uomini d'onore. Adesso che non c'era più Lui pensava di potersi permettere di pareggiare tutti i vecchi conti in sospeso. Il Bernacchioni diceva che i fascisti che sono rimasti d'ora in poi scaricheranno su quelli come il nostro babbo tutto il fango che gli tirano addosso, e così si faranno ancora rispettare e ben volere! Tanto - conclude scrollando le spalle - di certo molti col tempo preferiranno di nuovo loro a quelli come babbo!

Ramona si accorge in un secondo che la sorellina già singhiozzante non la può seguire granché nella ritualità iniziatica di quel suo primo discorso politico, sia pur di rimando. Allora in un sussurro, avvicina le labbra al piccolo orecchio sinistro di Adele.

- Non è stato un incidente sai, glieli hanno tagliati i freni al camion per farlo cadere in Arno...lo hanno ammazzato il babbo!

- Buuuuhh.. non è vero stronza, vaffanculo! Lo dici solo perché ti piace Fulvio!..

- Ma chi, quella mezza sega del Giusti?! - proclama la giovane sollevando la testa come fosse la manopola del proprio volume vocale - Sie', quello appena ci danno la pensione lo lascio quando mi pare!.. E poi chi t'ha insegnato a dire le parolacce??

- Buuuuhh.. vaffanculo!..

- Ramona, che c'è?!

- Ecco, hai visto, ora hai fatto arrabbiare la mamma!.. Niente, mamma, Adele fa le bizze perché vuole fare il bagno!

- Buuuuhh!..

Barcolla veloce Gabriella nel suo chiatto corpo di massaia, col passo appesantito da una cesta ripiena di panni ormai sciacquati e strizzati, e Selva approfitta di nuovo della confusione per tuffarsi agile e libera nell'Arno, frenandosi solo al primo indizio di corrente troppo forte per le sue anziane zampe di cagna e di otto cuccioli.

Mentre il fiume indifferente scorre via pian piano come l'infanzia di Adele e di Ramona, mormorando uno dei tanti segreti custoditi per sempre fra le braccia del suo letto. Giù verso le porte aperte del mare e quelle spalancate dell'oceano; fino ad arrivare al Mar de la Plata e - scavando altri cunicoli fra le rocce dello spazio e del tempo infiniti - giù, giù, fino a Piazza Fontana.

Ivrea

Fabiagio Salerno

Synopsis

Ivrea est un endroit assez magique, c'est carnaval tous les jours et celui ou celle qui le veut, peut se lancer des tonnes d'oranges et se faire mal délibérément. A Savoia, par contre, non. Ces choses ne se font pas, même pour rire. C'est à cause de ce chef cuisinier maladroit qui, un jour, tenta de tuer un roi.

Sotto la targa di marmo il supersantos lasciava chiazze rosse e a Pino pareva proprio di trovarsi a Ivrea, quel posto grandioso dove a carnevale le arance si infrangevano sui muri delle case lasciando impresso il loro marchio melmoso e questo rendeva tutti felici ed era gioia genuina perché bastava davvero poco a divertirsi nel fantastico mondo di Ivrea, non come al paese dove le giornate erano tutte uguali e regnava la noia. Pino raccontava di continuo agli amici la storia della guerra delle arance di Ivrea, con riferimenti a tutto quello che gli accadeva, e ogni cosa era un pretesto per raccontare dei muri sfregiati e delle scene dettagliate della guerriglia urbana, dove i carri lanciano le arance alla gente e la gente risponde al fuoco con le altre arance e chi vince è per un anno il re del paese. Non che Pino ci fosse mai stato a Ivrea (non sapeva neanche dove fosse, chiaro), però lo raccontava lo stesso come la cosa più grandiosa dell'universo, come se l'avesse scagliate lui quelle sette tonnellate di arance e "dovreste sentire l'odore e gli occhi che bruciano e sembra di camminare sull'asfalto di gomma, sporchi di melma, e poi il rumore - fiuh - che quando mi sveglio ancora lo sento, cioè capite? Un'altra dimensione". Mano in tasca Pino e gli altri tiravano calci sopraffini al supersantos che sbatteva contro il muro, monotono, sotto la calandra delle cinque, perché il gioco era colpire la targa di marmo posta in alto, che dava il nome alla strada, anzi due nomi, dai quali poter scegliere che posto ricoprire nell'ideologia paesana: se stare "col maresciallo o con lo scarparo" come gli ripeteva sempre la bonanima di zio Nino. La targa di marmo era stata infatti sfregiata dai ragazzi grandi, con la vernice nera, e via Cavour ora si chiamava Via Giovanni Passannante, che a quanto diceva suo zio doveva essere un cuoco, uno buono uno con le palle, che da *Salvia* di Lucania era andato a Napoli per uccidere il re, ma non ci era riuscito e quindi lo avevano arrestato e dopo la morte avevano messo il suo cervello in un barattolo col liquido conservante e la scienza lo studiava come l'archetipo del cervello malato di un criminale. Però in paese – che ora si chiamava Savoia di Lucania ma era peccato mortale chiamarlo così perché pure a scuola la maestra gli insegnava che "questa non è Savoia è Salvia di Lucania" – (in paese) tutti adoravano questo cuoco maldestro come in genere si fa per Mazzini o Garibaldi ed era buffo, perché "un eroe, una vittima dell'ingiustizia" eccetera eccetera sui libri di scuola figurava proprio come un pazzo criminale, che la Patria era stata in pericolo a causa sua, e ai libri bisogna credere sennò è finita sul serio e ognuno può pensare quello che gli pare, ma comunque stavano le cose era chiaro che Giovanni Passannante era l'unico personaggio famoso che si ricordi nel deserto di Salvia (o Savoia) di Lucania e quindi andava rispettato a prescindere. E a prescindere Pino stava dalla parte di Giovanni Passannante, quindi dalla parte dello scarparo, per estrazione familiare, perché il nonno e il papà e il fratello, anarchici, dicevano così, e i dubbi si assopivano ed era meglio non porseli. Ma a Pino, a dirla tutta, questa storia pareva patetica e noiosa, soprattutto ora, che la sua mente ragionava a mille nella dimensione del mondo perfetto, quella di un paese di nome Ivrea, dove gli uomini erano liberi di massacrarsi con le arance in faccia e i muri avevano il diritto di non essere bianchi, o gialli, col tacito consenso dei proprietari che con un inusuale senso dell'estetica parevano proprio gioire di ciò, non come quella zoccola di Maria, la fruttivendola, che usciva con la scopa per impedire che il supersantos rosso macchiasse il muro della sua bottega e urlava, li inseguiva e li denunciava al vigile urbano, suo marito, e quindi ad inseguirli erano in due, per le strade le paese, e non era facile prenderli, distruggerli di legnate e sventrare il pallone col coltello da taschino, ma a volte capitava ed erano cazzi, e collette per un altro supersantos.

Quel giorno Maria non si era fatta viva ma Pino non aveva alcun dubbio che prima o poi sarebbe uscita, marito sbirro al seguito, a portare la quiete nella strada, quindi l'attendeva guardingo, mentre sbagliava mira – il pallone sempre più lontano dalla targa e la mente proiettata sul da farsi.

Pino brandiva la sua arancia acquistata regolarmente, stringendola nella mano infilata in tasca e già assaporava la sua vendetta, e il sangue colare nero dalla fronte di Maria quando sarebbe uscita armata di scopa e li avrebbe minacciati, e lui le avrebbe scagliato addosso l'agrume, e l'odio, e pareva semplice, doveva solo preoccuparsi di cosa dire in quegli istanti, perché il gesto era forte e serviva una frase, lapidea, eterna, che nella testa ancora non c'era, mentre passava in rassegna chilometri di pellicole americane per cercare una combinazione di parole a effetto da urlare a Maria, prima di trafiggerla con la sua stessa arancia, e vederla cadere esanime una volta per tutte. Pino brandiva la sua arancia, stringendola nella mano infilata in tasca, cosciente che mai l'avrebbe tirata, incazzato nero perché a Ivrea sarebbe stato un uomo libero mentre qui, a Savoia di Lucania c'era la legge, l'autorità, che gli impediva di disintegrare un'arancia sulla fronte di quella stronza. Ne era cosciente e soffriva.

Pino perse di colpo l'entusiasmo mentre vide uscire finalmente Maria, grembiule e capelli bianchi, armata di scopa. Nascose stretto il supersantos sotto la maglia e scappò via, cuore impazzito per le vie minuscole. Quando si sentì sicuro si fermò tirò fuori l'arancia dalla tasca, la sbucciò e la morse, senza rabbia o eroismo e senza il minimo dubbio di essere un vile. Infondo il servizio in televisione che raccontava del carnevale di Ivrea concludeva secco: buttare sette tonnellate di arance è un inutile spreco.

La direttiva quindi era chiara e Pino era conforme: le arance non andavano buttate. Le arance andavano mangiate.

La mitilanza

Fabrizio Gabrielli

Synopsis

Personne n'entre, personne ne sort, personne ne défie personne, ils touchent tous le ballon et la partie se termine seulement quand ils sont tous fatigués. Le voici, le football (soccer) anarchiste, celui de Chacarita Juniors et de Panachaiki et de l'Argentinos Junior, qui à sa naissance s'appelait Martyres de Chicago. Et il portait les couleurs rouge et noire. Noire comme la rage, la vengeance, la lutte inconsolable, mais aussi comme la terre la plus fertile, la nuit de l'espoir, la graine. Les militants. La militance.

Di Clodia forse dovrei dire ch'eravamo colleghi, anche se poi no, tecnicamente non lo eravamo per niente, perciò mi limiterò a dire che c'è stato un periodo in cui *lavoravo con* Clodia. Ma succedeva quasi dieci anni fa.

Ci incontravamo in corridoio, lingua oleosa di linoleum, c'incontravamo in corridoio e caffé?, le chiedevo, senza guardarla negl'occhi — doveva dipendere da quando, ci avevano appena presentati, m'era scappato di strusciarmi contro il suo sguardo azzurro che avrei dovuto sostenerlo, porcocazzo, mentr'invece subito *chiappe*, che persona bassa, proprio io, ci credereste?, *chiappe* — eppurtuttavia m'era difficilissimo sviare i pensieri, pensieri di schiavitù, di malia tremebonda, d'inammissibile usurpazione della mia libertà di osservazione, con Clodia che voleva ogni sguardo per sé, Clodia, fin da quando c'avevano presentati, impattante Clodia.

C'incontravamo in corridoio e non prendevamo alcun caffé — non avrei mai smesso di chiederglielo, però — e poi dritti verso la stanza in fondo — precedevo il passo, nessuna democrazia, nessuna cavalleria, solo la necessità di farle esercitare magnetismo il meno possibile — quella con la cattedra di fronte alla finestra, che affacciava sulla ciminiera biancherrossa.

Era uno di quei periodi in cui ancora discorsi impacciati, senso d'inadeguatezza, lotta di classe e anacronismo tuttidì: cercavo facce di ragazzini tutti polo-e-fredperry o anche annoiati o pure machemmefrega per spiegargli quant'era bella l'anarchia — proprio io, ci credereste? — per raccontargli che racchiudere enormi e innocenti ippopotami lontano dalle praterie africane, dalle meravigliose albe, dalla remota libertà, darsi un ordine quando la natura ci chiama al disordine non sempre sta bene, lo si capisce, fidatevi — proprio tu, professò, co' sti discorsi?, cinguettavano i ragazzini.

Mi sarei accontentato d'un barlume di comprensione, d'uno sfavillio di rapimento, io ch'ero tutto un rompere-il-sistema-dall'interno, io che ciao-sono-la-mina-vagante, io che nondimeno i sudori freddi, quand'era Clodia a governare i movimenti, la prossemica, a dettare i tempi.

Cercare simboli, lì più che altrove, nelle teste, sugli zaini, non era nulla più di un viatico, badate bene; e riscontrarci testimonianze, prove, più un cadere nei tranelli di fatamorgana che altro, nella stanza in fondo, dove c'erano solo accozzaglie arraffazzonate e senza senso organico, senza linearità, di crocicèltiche, falcemmartelli, u2, aèsseroma, vascorossi e invictatuttalalibertà, sugli zaini che penzolavano dalle bretelle, nella stanza in fondo. Neppure una A maiuscola cerchiata, foriera d'entusiasmi immotivati, riusciva a preludere a qualcosa in più d'un inneggiante (A)rmando.

La tristezza, l'orrore. L'orrore.

Lavoravo con Clodia, ma succedeva quasi dieci anni fa, e sotto la ciminiera biancherrossa, quella che scorgevi dalla finestra, nella stanza in fondo, c'era già una centrale elettrica, con le lucine arancioni e i fumi di scarico neri e i clangori metallici grigi acciaio e tuttoquànto. Una centrale a olio combustibile da seicento megawatt, lì da quasi sempre, che sembrava ce l'avesse messa Dio, o qualcuno che gli somigliava: io ero nato che già troneggiava, tutti gli occupanti della stanza in fondo erano nati che già c'era, la ciminiera bianca e rossa, con le lucine giallognole e i fumi di scarico color della cenere e i clangori metallici grigi piombo e i papà rossi, sudati, con le tute azzurre che tornavano a casa neri, sberciando, sporcamadonnando, pianificando scioperi, mediando col sindacato, rosso, o rosso sbiadito, ogni mese, ogni settimana, ogni giorno.

Clodia me l'avevano affiancata da quando, in classe, su venti ragazzini sette erano rumeni.

Clodia pure è rumena, della generazione 96, come diceva, prima di scoppiare a ridere, prima di tornare seria: io uso generazione 96 per quelli che come me sono arrivati in massa nel 96, diceva, poi rideva. Poi si rifaceva seria. Mi si ribellavano tutti i pensieri e i sentimenti e le sinapsi ballavano una rumba intestina, quando Clodia rideva. Anche quando era seria.

Clodia faceva la mediatrice culturale, c'aveva scritto sul cartellino che le pendeva dall'asola slacciata della camicia:

entrava nella stanza in fondo con me e girava pei banchi, pei banchi dei sette rumeni, io spiegavo le cose e lei s'accertava che avessero capito, se c'era qualcosa di poco chiaro glielo traduceva pisipigliandolo nelle orecchie. Li vedevo annuire felici, dopo quei pisipigli, i ragazzini, l'espressione di chi è arrivato a una conclusione inattesa, l'emozione della serendipità. Clodia era lì per abbattere le barriere. Io ero lì per abbattere le barriere. O almeno ci provavamo, insomma. Eravamo di quelli che rompono-il-sistema-dall'interno. Due mine vaganti, noialtri. Due cecchini del pregiudizio, del preconcetto.

Libertà d'espressione individuale, rifiuto dell'autorità, irriducibilità ai meccanismi di un sistema, allergia al potere costituito: tu dici che son principi che va bene e tutto quanto, ma cozzano, col calcio. Perché ti fissi su quell'idea malsana della competitività. E dell'arbitraggio. E del Sistema. Togli il sale della sfida al pallone. Dimentica le regole. Disconosci il fuorigioco e i falli. Non più *fallo*, ma *Fallo*! Gioca. E basta.

Volevi il calcio anarchico? L'hai avuto.

A volte scendevamo in cortile, di lì non si vede la centrale elettrica, di lì tutto il resto è lontano: ci sono solo il prof — che non fa l'arbitro, Clodia — che non fa il tifo, i ragazzini — che disimparano l'odio che s'annida in nuce sulla scelta di questo o quel compagno, nel formare le squadre, e un pallone. Gliene fotte poco, al pallone: lui s'adatta.

E gli dicevo: giocate. Ma chi sta in porta?, chiedevano. Nessuno, rispondevo. A chi dobbiamo fare goal?, insistevano. A nessuno, rispondevo.

Nessuno entrava, nessuno usciva, nessuno sfidava nessuno, tutti toccavano il pallone, chi col tacco con la punta col naso con le orecchie e la partita finiva solo quando tutti erano stanchi: nessuno può arrogarsi il diritto di sancire la fine del gioco, del divertimento.

Volevi il calcio anarchico? L'hai avuto.

E poi gli raccontavo le storie di compagini gloriose, quando suonava la campanella e riponevano le cartacce dei panini nello zaino. Narrazioni di tempi, latitudini, longitudini altre. Insegnavo la storia e la geografia leggendola mica sui sussidiari — io che il-sistema-lo-faccio-implodere-dall'interno, io che mina-vagante —, no: sulla righe della maglia del Chacarita Juniors.

Patrasso: dici Grecia e ti vengono in mente Atene, Salonicco, e poi? Patrasso. I traghetti da Brindisi dove attraccano, i traghetti per Brindisi da dove partono? Patrasso. Andare a Patrasso dicon significhi andare a morire, anche se poi non ho mai sentito nessuno usarlo, questo proverbio: e poi *ma anche no*, si vede lontano così che è più una misinterpretazione, *ire ad patres*, andare ai padri, mica è uguale a *ire ad patras*. A Patrasso anche la guerra d'indipendenza contro i turchi quando un po' tutti in Europa facevano le guerre d'indipendenza. Non solo contro i Turchi. E il tempio di Artemide. E il sacrificio di Ifigenia. Patrasso.

Clodia che è arrivata dal mare, nel novantasei, coi padri e le madri dei ragazzini che non capiscono, ma poi sì, annuiscono consapevoli, divertiti qualche volta, più seri qualche altra, autobus sgangherati da Craiova o Timisoara o Bucaresti giù giù passando per la Macedonia fino a scorgere le onde, la pancia d'acciaio delle navi, il sogno al di là dell'Adriatico, votarsi ad Artemide: dov'è che s'è imbarcata? Patrasso.

A Patrasso c'è una squadra di calcio, si chiama Panachaiki, ha le maglie rossoenere, l'hanno fondata gli anarchici. Anarcocristiani, anarcocomunisti, anarcovattelapesca, importa poco. Gli anarchici. Gente che non gli andavano bene le cose così com'erano. Gente che come gli ippopotami rapiti alla savana, a farsi rinchiudere in una gabbia, a mangiare il pastone dell'ingiustizia, ci stava mica. Gente che né Dio, né padroni, né schiavi, né servi.

Sai pure qual altra, di squadra?

L'Argentinos Juniors. La prima squadra di Maradona. Di Riquelme. Di Redondo. Sì, quelli. Quelli del quartiere La Paternale. Sì, vi sto facendo una paternale. Pure quella: gl'anarchici.

Dovete sapere che nei primi anni del Novecento, quando han messo su baracca e burattini e le mamme dei giovanotti hanno cucito la prima banda bianca trasversale sulle maglie rosse di cotone pesante, in quegli anni là la squadra si chiamava "Martiri di Chicago".

Chi erano i martiri di Chicago?

Primo maggio, è il primo maggio del milleottocentottantasei. Chicago. Stati Uniti.

Il primo maggio del millottocentottantasei a Chicago i sindacati decidono che i tempi sono maturi per scendere in piazza e battersi e sventolare le proprie rivendicazioni: la giornata lavorativa non può più essere più lunga di otto ore. Sfilano in cinquecentomila. Son tante persone, cinquecentomila. I signorotti dell'industria, i padroni, come reagiscono? Male, reagiscono. Il giorno successivo chiudono le fabbriche, fanno una serrata: anche i padroni delle fabbriche possono fare sciopero, sventolare le proprie rivendicazioni, scendere in piazza magari no, se ne restano negl'uffici rilucenti, sorseggiando bourbon. Lo sciopero delle industrie, quando non lo fanno i lavoratori ma i padroni, si chiama serrata.

Il giorno successivo ancora, siamo al tre maggio: stavolta sono i lavoratori che vogliono tornare a fare sciopero. Non tutti, però. Qualcuno sì. Qualcun altro no. E quelli che no: entrano sfondando i picchetti dei colleghi. Si fanno coraggio e abbassano la testa e timbrano il cartellino e si spaccano il culo per il padrone ingrato. E quando finisce la giornata lavorativa, e suona la campana di fine turno, e quelli che son voluti entrare per forza si avvicinano ai cancelli per guadagnare l'uscita, ecco, in quel momento scoppia il putiferio. Ci scappa il morto, pure. E subito a dirsi: non può essere che ci scappa un morto, durante una serrata, durante uno sciopero per giunta dei padroni, che qua gli scioperi li facciamo solo noi, e per la giustizia, mica per morire. Domani ci riuniamo a Haymarket e gli facciam vedere noi, di che pasta siamo fatti. Il quattro maggio, il quattro maggio millottocentottantasei Haymarket è l'epicentro della rivolta, dell'insurrezione, degli ora basta. La polizia carica per sgomberare i manifestanti. Qualcuno getta una bombacarta. Un provocatore. Un insurrezionalista. Una. Bomba. I poliziotti lì van fuori di cranio. Non ci si capisce più una sbercia. Sparano alla cieca. Chi cazz'è stato a lanciare la bomba? Otto poliziotti perdono la vita, quasi tutti uccisi dal fuoco amico, si dice così, quando il proiettile parte dalla canna dell'arma di un commilitone tuo: fuoco amico. Come se il fuoco possa essere amico o nemico: il fuoco brucia. Il fuoco fa male. Sempre. Muoiono otto poliziotti e bisogna cercare un colpevole. Un capro espiatorio. Gli anarchici. Questi nullafacenti perdigiorno che Dio no, i padroni no, gli schiavi no, ma i morti sì, i morti con le bombe e le fucilate sì. Ne arrestano otto. Ogni poliziotto morto un anarchico, ogni anarchico un'ora di lavoro per la quale lottare.

Otto.

Il numero otto, se lo sdrai su un fianco, coricato, come dopo un'esplosione di bomba, come se un colpo di fucile l'avesse colpito alla schiena, il numero otto si trasforma nel simbolo dell'infinito. Del loop. E certe cose tornano e ritornano ancora. Lo sfruttamento. La ribellione. A guardarci bene, c'è sempre qualcosa per cui combattere. Per cui buttarsi sull'asfalto e lottare.

Succedeva quasi dieci anni fa: si discuteva se convertirla o meno, quella centrale elettrica che si stagliava fuori dalla finestra in fondo alla stanza in fondo, convertirla a carbon fossile, come i pinnacoli delle slum londinesi dei romanzi di Dickens, ma più grande, più pulita, meno impattante — usavano quest'aggettivo qua, che è un aggettivo orribile, poi: impattante. E si parlava di fare un referendum, ma il Consiglio di Stato aveva bocciato la proposta e allora il sindaco cosa fa? Decide di indire una consultazione popolare.

Clodia mi racconta, ho scritto una lettera al sindaco. Ci ho provato a chiedegli fate votare pure noi rumeni, anche se l'extracomunitarietà e quelle ròbe là. La strada verso l'integrazione è lastricata di piccole concessioni come queste, gli ha scritto. Di vocine in capitolo, di partecipazioncelle, gli ha scritto.

Milleottocento razionalità, il cinque per cento degl'abitanti della città sono rumeni. Il cinque per cento di venti fa uno: in classe ho il seicento percento in più del tasso di immigrati medio. Ti seguo, Clodia, le dico. Cinque per cento sono percentuali da partito minore, da ago della bilancia, mi dice — anche se io ai partiti, agli aghi della bilancia, non ci ho mai creduto troppo. Noialtri vogliamo solo dire la nostra sul futuro della città che ci ha accolti con le braccia spalancate. Siamo milleottocento razionalità che chiedono solo di potersi esprimere, liberamente, democraticamente. Individualmente. Non siamo una lobby, no. Ma una famiglia. Abbiamo dei figli. Vogliamo lottare anche noi. Fianco a fianco. Ognun per sé, ma insieme. Lottare, capisci? Tu non ti senti di voler lottare ancora?

Io non lo so, Clodia, non lo so s'è davvero il modo, quello che conosco io, l'unico che mi sembra plausibile, di militare, ch'è di metter le bombe, Clodia. Forse no.

Però vorrei poterti credere, e convincermi a calpestare ancora i sanpietrini, coi nostri vessilli neri. Neri di negazione. Neri per cancellare le pagine sbagliate, come con un getto d'inchiostro. I pirati, ecco Clodia, dovremmo farci pirati perché i pirati, hanno la bandiera nera: arrivano a sovvertire l'ordine costituito, e a far germinare il panico. Quando e se siamo incazzati, ma incazzati moltissimo: siamo incazzati neri. Nera è la rabbia, nera la vendetta. I tempi di privazione, i tempi di crisi, sono tempi cupi. Neri. E nero è il lutto inconsolabile. Nera è la morte se neri avremo i polmoni. Se nero sarà il cielo. Nera, nera è la notte, ma dietro la notte s'annida il mistero, il refolo rossastro dell'alba: nera è la speranza, l'anfratto buio nel quale s'incunea lo spermatozoo per far geminare una nuova vita. Nera è la terra più fertile. Nero il seme.

Neri noialtri, Clodia, di quel nero con nuances d'infinitamente possibile.

Mentr'invece, cosa? A forza d'indossare negritudine ci si è sfinata la personalità.

Dentro i nostri gusci stratificati di dottrina e ideologia ci siamo rammolliti, imbarbariti, ridotti alla semplicità vitale — filtra l'ossigeno, ingerisci il plancton — d'un mollusco.

Abbiam smesso di mostrare i muscoli per farci mùscoli noi stessi.

Siamo più simili, coi nostri riflessi violacei, a un esercito di cozze.

Mitili, altro che militi.

Quella consultazione, ci pensavo l'altro giorno, Clodia, che non ci vediamo da più di dieci anni, ci pensavo ch'era un tramonto grigio, il cielo gonfio di fiumi di scarico, quella consultazione poi s'è tenuta, ti ricordi?, ma senza rumeni: voialtri no, voialtri che ne potete sapere, voialtri che ce ne frega di come la pensate, voialtri siete solo di passaggio, sembrava v'avessero detto.

Ne avevamo parlato lungamente, Clodia, anche in classe, ricordi?

Io, a votare: non c'ero andato neppure io.

Il risultato era stato comunque lampante: l'ottanta per cento aveva detto che no, non ce la volevano quella centrale nuova scintillante. Ma non aveva digrignato i denti abbastanza. Non *avevamo* digrignato i denti abbastanza.

Ci siam persi mica nulla di speciale, alla fine della fiera, a non andare a votare, quella volta là, quando a vincere abbiam permesso fosse la *mitilanza.*

La centrale ce l'abbiamo ancora, adesso è a carbone, da duemilaquattrocento megawatt, più grande, più pulita. Meno impattante, continuano a sostenere.

Il bastione dei fantasmi dei Mori

Gianluca Garrapa

Synopsis

Cinq personnages s'imaginent être cinq Maures sur le bastion du château d'Otranto, l'été, amis depuis toujours, samedi soir, un pub au clair de lune, des jeunes filles qui passent. Puis le suicide d'un des cinq : suicide masqué en accident, fait exprès pour arrêter l'histoire, la vérité.

Io: "allora, abbiamo ancora 452 parole…"

Leo: "perché sei così ossessivo? possiamo usarne di meno!"

Io: "la precisione per me è fondamentale"

Leo: "perché? Sei un essere reale?"

Io: "ma no, io non esisto, idiota! Allora?"

Leo: "Nulla, simbolizzo in parole l'immaginario che una sera ci convinse d'essere 5 mori sulle mura del mare del porto di Otranto."

*

I cinque ragazzi sono alla prima bevuta. Si figurano di esseri Mori.

S'interruppe al momento opportuno. Colse uno scintillio negli occhi della ragazza che prendeva le ordinazioni. E a dispetto della fisiologia animale, iniziò ad amarla investito in pieno volto dalla sua scintilla divina. Umana fra esseri e cose, e pure lui, se è per questo. Il futuro previsto pari pari ti rende cieco e certo, un mito di collage di miti.

"Allora? Ma cosa sogni?" ho chiesto e "..." ha fatto di rimando col mento mantenendo lo sguardo dritto al vuoto e una mano a conchiglia sull'orecchio per ascoltare il rollio del mare sotto, ai piedi dei bastioni, il mare del porto risuona di scafi al gasolio. Mi venne da pensare, e mi feci un dovere di non impedirne il flusso, moltiplicando il mio discorso interiore all'orizzonte oltre il bastione, punti di luce e nodi, chiglie, sirene dalle scaglie di embrice e

Baie perlustrate con vagabondo stare al molle altalenare salato e pure altre immagini ma non così forti da formarsi e verbalizzarsi in sogno, molti cavalieri e dame sul dorso di conchiglie condotte da cavallucci marini fuor d'acqua e premendo con zampe di mantide.

Mi riebbi dal reale trasfigurando una voce che avrei trattenuto fino alla prossimità del gazebo per l'abbeveraggio di spirito santo e

La tua vita scorreva, e, lei accanto, sanciva battiti primordiali: l'alternanza umana gradevole e secondante ritmi circadiani. Quanto eri sereno nella tua serena immagine interiore vagolante (sugli spifferi polline tra contrasti d'arie) tra le immagini delle cose mondane! Certo, è la dote innata e fin troppo umana di vedere dentro il presente, pensi sia ormai un disastro crederci, pensare al fatto che fuori è ancora buio, nonostanti impulsi provenienti da diversi altri agenti non visuali, e allora tu sei un cieco al confronto del mondo e scorrazzi per il mondo con l'innato dono navigatore, la matrice del presente del passato e del futuro, anche senza averne mai visto l'immagine. Noi, ordiniamo e

"Noi ordiniamo, ehi! Ripigliati" e tratto nel di nuovo impaccio reale del momento, tornai ad associarmi al companatico dei Mori, occhi già lucidi e stellari, dame e cavalieri su dorsi di astronavette salate trascorrevano rasente i profili dei parapetti sul mare.

[Così optammo di comune accordo per l'interruzione della seduta. L'alternativa era un divano di plastica integro scivolato sulle lave dell'Etna fino a valle come una canoa sul fiume e insomma era una cosa impossibile.] fece dentro di sé il primo dei Mori

[Non potrei scriverla, mi imbarazzerebbe. E lo so il perché.] fece il secondo

[Infine inserì la patella nell'astuccio e ripose la camomilla sulla credenza.] fece il terzo,

[Insomma, aveva sedato il religioso che albergava in lui.] fece il quarto

[Salimmo in verticale. Eravamo in un ascensore fatto di marmo.] fece il bello dei cinque

2

Lo zero è una scialba provocazione alla logica occidentale, scrissi. a) sto usando la tastiera e senza supporto cartaceo. b) avrei preferito continuare a rimuginare parlando di e con me stesso, rinviare l'atto della scrittura, continuare a, per questo, fissare i dorsi orizzontali e verticali delle pagine continuando a intervistarmi. Il lavoro attoriale dell'osceno, il trucco per sparire in scena. Ma io non sono una scena, e devo ricostruirmi momento per momento. Non riguarda la vita. È il passatempo della scrittura che non fa esplodere brillare il tempo e codicilla incipit al per sempre finito romanzo che, il non finirsi in giorno della notte,

"L'oltre era infinito da un po'. La sera si spegneva, il firmamento era una lampada graduata con spina a terra che opponeva un graduale diniego a proseguire ulteriormente il viaggio. L'umidità traeva odori dalle cose e dalle piante. Gli alberi stendevano delicati silenzi e custodivano culle di volatili stanchi morti di voli."

"Bello, l'hai scritto tu?"

"Sì, ascolta: la panchina di legno percepiva il primo fastidio di freddo nelle ossa. Il legno elenca ricordi circolari di cui non sa più nulla e intanto la chioma si emancipa dalla terra e volge superfici alla luna. Nel cielo, indicò, con uno scatto del volto, la fronte e il mento sono immaginari estremi di una semicupola radar, il volto è un oggetto nel bicchiere d'acqua delle leggi delle convenzioni deformato dall'intenzione a dire il non potersi a dire. Questi luoghi all'odor di macchia, ginestra odorosa, lentisco, salvia, menta, rosmarino, alloro, limonio, ginepro, cappero, origano, pineta umida di sudore e sperma, profumano a noia di quiete."

Il bello più e più volte redarguito dalle occhiatacce dei cavalieri sguainate a proteggere o a stracciare le occhiate languide di dame, trafelate a nascondersi dietro il dito della loro verginale pornografia a ripetersi perdendosi nel non senso del nome. Il bello sedette di spalle al mare del porto, due Mori a destra e due, per la democrazia dell'ascolto, due a sinistra e egli, facendoci figurare di essere la lingua dei teschi nella teca della cattedrale, prese a raccontarci saltando a piè dispari la scena e indicando col ginocchio dell'altro piede sollevato dal suolo, facendosi un dovere di indicare che parti del racconto erano volutamente censurate per questioni estetiche e d'ascolto intenzionale e prese a raccontare:

"Le diagonali solari modellavano poliedri di polvere sugli specchi lungo fasci sottili di luce.

Tutti padroni di se stessi, nessuno padrone di nessuno-ripeteva la voce di qualcuno nel sonno che diventava quasi veglia.

Si svegliò di soprassalto, sudato. Stanco come dopo un secolo morboso di lotte religiose, devolvendo sangue a iconoclastiche visioni e economiche esigenze. Immagini in frantumi di madonne e schegge di santi tranciati di netto, gli si attaccarono al corpo. Simili a insetti, sanguisughe fastidiose. Provava la sensazione di essere un magnete soffocato dalle ruggini del mondo che si attirava inevitabile addosso.

Aprì faticosi gli occhi e si stropicciò le palpebre. Deglutì, aveva la gola secca, avvertiva uno strano panico interiore.

L'aereo quotidiano delle risalite mitiche rombò alzandosi, amplificando la già ampia risonanza interiore della sveglia al lato nella stanza. Non riusciva a capire se fosse già sveglio o no!

Abitava vicinissimo all'aeroporto civile; un grosso boato lo fece saltare giù dal letto. Gli occhi in fiamme, la bocca impastata.

Il poliestere dei sogni lo abbandonò. Gli uccelli ticchettavano melodici come sempre, lugubri come non mai. Veloci passavano i ragni tecnologici intorno alle ragnatele delle lampade a petrolio.

Un bimbo piangeva, mentre il padre arabo e grasso come un sacro bue cattolico lo picchiava selvaggio sulle manine di mogano chiaro. Il bimbo in braccio alla madre che non lo proteggeva; arabi all'americana: la mamma lo tiene ben stretto lui lo picchia e tutti i familiari assistono incitando. Applauso finale che riscatta le personali vicissitudini infantili degli adulti.

Riesaminò i passi del Vangelo che avrebbe letto, indossò l'abito talare e andò a battere Messa.

Immaginò che un corteo di clienti lo precedesse, pregando la battona-dio che veglia in loro. Sulla cassapanca lo aspettava, attesa inutile, la Vergine.

Ritornò alla realtà in sé. Uscì da casa. Salì in macchina. Si tuffò nel traffico turbolento, nei semafori, cambiò frequenza alternando sigaretta e marce, prima seconda terza prima seconda terza. Ultima boccata. Richiuse il finestrino.

Entrò nel parcheggio della parrocchia, salutò alcuni seminaristi manager (buon affare la religione in tutti i tempi!) ed entrò nel suo ufficio.

All'alba... Avvengono i sogni (lo dicono in tanti ma è vero per pochi) più veri.

Fu pronto a celebrare Messa. Canto Liturgico. Formalità varie. Comunioni. Letture.

La Messa è finita, andate in pace: il prete dell'alba, quando avvengono i sogni più veri, richiamò i fedeli al silenzio liturgico; meglio di prima, quando orante leggeva, dio-uomo che parla.

S'inginocchiò in segno di preghiera con le mani artigliate all'altare e sfiorò le labbra all'insipido marmo coperto dalla tela di lino con ricami in seta policroma, oro e argento filato, lo stesso fecero i fedeli sui legni vissuti dei loro banchi: pregarono il sostegno e la salvezza per Dio e per loro.

In un attimo accadde l'eterno; il prete si alzò, imbracciò il fucile nascosto sotto l'altare e massacrò i fedeli uno a uno, anche i bambini. Poi rivoltò la canna del fucile contro di sé, al di sotto del mento, e fece fuoco. L'ultimo rimbombo. Poi un silenzio umano, di vita quotidiana, nella Chiesa cruda.

Ma Dio provò pietà e fece uno strappo alla regola. Risurrezione di massa. Prima il prete, che fu contento di ritrovarsi un'altra volta vivo, lui: il miglior prete dell'alba non avrebbe più avuto dubbi su Dio. Lentamente anche i fedeli tramortiti, uno per uno, ritornarono in vita. Pesanti di sonno, come risvegliati da un lunghissimo sogno. Dio e il prete furono contenti, si abbracciarono aspettando di vedere le reazioni dei loro servi che, calcolarono, sarebbero state ovviamente positive.

E invece no! Chi lo avrebbe immaginato? Insulti e inverosimili bestemmie contro Dio e contro il prete. Lo scontento rimbombò più forte degli spari. Non furono per nulla felici nel ritrovarsi un'altra volta in vita, proprio loro, i migliori fedeli dell'alba, non avrebbero mai più avuto dubbi di loro: volevano vivere da semplici uomini, senza rimorsi e senza colpe, soprattutto senza eternità.

Uno sguardo collettivo rinsaldò la loro rinnovata alleanza, intuirono tutti cosa fare: prima rinnegarono Dio, e decisero che sarebbe bastato farlo una volta sola, perché tre non ne valeva la pena. Il prete svenne. Lo fecero rinvenire con l'acqua santa.

Poi lo trascinarono a forza sul campanile e lo gettarono nel vuoto. Le campane rintoccarono a festa.

La messa è finita per sempre, andate in pace."

Sul bastione coi fantasmi dei Mori, gettata, e non caso pare, l'acqua del porto è la vestaglia di crespo barbaglìo punzecchiata dal barbàglio del porto. Loro, compreso il me scrivente nell'allora della scrittura avvenire, loro, cinque amici, nei ventanni prossimi a folgorare approdi già impossibili, loro, impassibili alle bellezze atemporali, carezzati dall'oblio congestionante occhi di alcool, loro mi diedero l'idea, allora, di un pareggiabile e comunicabile abbandonarsi alla figurazione di esser cinque Mori. Un memento mori del al-momento-i Mori. E tutto si svolse e svanì quando apparve la bellissima ragazza del locale stretto ai piedi del castello, e loro a vaneggiar liquidi per postume battaglie insconce, e lei a traveggolare sul più bello dei 5 e lei divenne una sparizione di Madonna e liquidò la storia con il prezzo del suo lavoro. Infine il bel Moro e la sparizione di Madonna, si finsero amore eterno e volarono via sul drago verso allunaggi di miele.

"mah, se dovessi descriverti il mare del porto, ma non saprei davvero cosa dirti, tipo la descrizione, no? allora è meglio, visto che la tecnica lo consente, di andare"

"certo è normale, non ti va di dire"

prese a leggere "il tipico maschietto mediterraneo dispettoso e arrogante, forte di tantissimi maschietti dispettosi e arroganti, il Giamburrasca che il popolo ha deciso essere il proprio idolo e\o il proprio capro espiatorio frutto dell'ipocrita educazione cattolica della Chiesa di Roma (specificò 'di Roma', i cattolici spagnoli, ad esempio, sono cattolici, non papalini) che non accetta il burka solo perché non è un capo disegnato da Valentino e vige il totalitarismo pornografico fin da quando ti inculcano l'idea che una cattiva azione è una spina nel cuore di Gesù. Non è la persona, ahimè, sono i ruoli, che mancano. e i meriti. Le etichette, invece, abbondano, sinonimiche. Il buon vaticano ha 'protetto' 17 anni di fiction politica, figurati! lo aveva già fatto con il reality-show ai tempi della shoah. Non c'è dubbio: il demonio, esiste."

"Sì, ma dimmi del bastione" lui non rispose, il Moro più bello saltò giù dal parapetto e svanì insieme alla ragazza tra la gente tanta delle stradine scoscese di Otranto.

Il secondo dei Mori stava costatando, parlando quasi tra sé che "in Italia è difficilissimo, per una coppia etero, adottare un bambino che desidera una famiglia, però è facilissimo costruire case sopra i fiumi tra montagne a picco e mare immenso;" e poi aggiunse che "è difficilissimo essere omosessuali senza timore di essere presi in giro o sentirsi oggetto di battute televisive ma è facilissimo per il Vaticano infangare o far accettare gli abusi pedofili;"

e aveva aggiunto che "è difficilissimo essere educati e rispettosi della vita e della natura e facilissimo farsi del male, rassegnarsi, castrarsi e castrare;"

e aveva sottolineato che "c'è il bordello-vaticano coi suoi clienti e le sue puttane. In Italia, il cattolicesimo di Roma ci ha abituati a non pensare, a non gioire, a non godere e a nascondere, reprimere, contrastare la natura, sia essa un fiume sia essa una pulsione d'amore, a accettare ordini dall'alto senza discutere, e sottomettersi alla cura miracolosa di una metafisica monetaria per cui il politico è un re sole e il prete un privilegiato."

Io dissi che: "Sole e morte non possono guardarsi fissi negli occhi, nemmeno Dio e il Papa, i politica-mafia-banche sono invece la stessa medaglia: retro-fronte-zigrinatura. amore e morte non hanno nulla da spartire, la vita è un lunghissimo preliminare pornografico fine a se stesso" e il quarto dei Mori, quello più a destra, decise di tuffarsi di spalle nel vuoto dal bastione nel mare, cadde a forma di bottiglia e aveva deciso da un bel po', era stato zitto tutta la sera e prima di ordinare da bere aveva pensato [Insomma, aveva sedato il religioso che albergava in lui.] e per questo, la scelta di proseguire la vita per conto suo, era stata la logica e umana conseguenza.

Mentre il corpo del quarto precipitava il primo accompagnava il nostro sguardo fotografico con una commemorazione in loco : "Bisogna sempre dire quello che si pensa. Anche perché raramente si pensa." Il corpo apparve storto sulla banchina del mare, del sangue più scuro dell'ombra storta del corpo e continuò: "Più facilmente si è pensati dal pensiero unico. Allo stesso modo bisogna dire sempre la verità. Anche se la verità non esiste. È abbastanza difficile. In realtà, la maggioranza degli umani, presupponendo che esista un'unica verità (Dio, l'ideologia, i propri usi e costumi et sim.) prestabilisce ciò che è bene e ciò che è male. Ma di questo loro difensivo atteggiamento mentale (dettato dalla paura dell'altro, del non stabilito, del non ordine et sim.) non si può dire se sia bene o male. Bisogna pensare senza l'ausilio immaginario di un Io che ci pensa."

Io e il secondo dei Mori continuammo a parlare, a scarabocchiare pensieri e lui a dire, evitando di parlare del bastione dei Mori: "Anarchici, chi? quelli che hanno 'devastato' Roma e spavento i 'pacifisti' o quelli che hanno devastato il patrimonio paesaggistico_artistico italiano o quelli che hanno massacrato di botte i pacifisti della caserma Diaz. Se dai l'esempio sbagliato, o Potere, non puoi pretendere condotte esemplari. Insomma: chi è senza violenza, scagli il primo giudizio omologato e comodo e"

L'Eredità

Gio' Notte

Synopsis

Salento : terre en vente au plus offrant, terre empoisonnée par l'ignorance, terre abandonnée, mais aussi terre qui reçoit, terre solaire, terre fertile et authentique. Un talon suspendu entre le ciel et la mer, où certains et certaines s'en vont et d'autres restent, leur pacte unique d'amour ne pouvant se dissoudre par résignation.

Lei, in silenzio si sciolse dall'abbraccio notturno della compagna. Sopra a lenzuoli verdi, la brina si addormentò bagnata e la bruma fuggì lacerata.
Anonimo, IV sec. prima dell'era cristiana.

Il pasto nudo venne servito di buon ora: le Frisone, le Bruno-Alpine, qualche Gelse e la solita vacca Prete al pascolo sull'erba fresca, ciocca dopo ciocca ne strapparono il profumo e masticato il ricordo.

Un fiorino bianco frigorizzato intanto poppeggiava lungo un altro campo, senz'erba e con centinaia di pannelli solari petto in fuori e belli lustri per i primi raggi di sole; un uomo alla guida li guarda e con stizza alza il volume dell'impianto stereo. Il giornale-radio locale, il primo di una lunghissima serie, scancella le note pop con un getto secco di ormoni iper-stressati, Occhi di Giada ascolta, hanno arrestato uno che conosce – capirai… «…un carico notevole di stupefacenti inchioda Pino Morace detto 'Mozzarella'/ l'uomo a capo dell'operazione dovrà rispondere di associazione a delinquere di stampo mafioso, possesso d'armi e di stupefacenti/ sequestrati dal pool della finanza i beni tra cui una villa al mare e tre macchine di grossissima cilindrata per un valore di oltre…» …capirai.

Passato il portone principale della masseria, il fiorino s'infila in un cortile e due bastardini gli si agitano incontro. Un contadino saluta Occhi di Giada, sigaretta alla mano.

- Stai sveglio?

- No, faccio finta… Carle'che si dice?

- Ecche' vuoi dire, se non piove son' cazzi

- Domani domani l'han' detto alla radio, da domani comincia il brutto tempo, cosi han' detto.

- Ma speriamo.

- Loro come stanno?

- E come vuoi che stiano, bene, hanno quasi finito, un altra cinquantina di litri e sono vuote.

- Buon buò ne prendo 350 allora

- E segna

- E segno e vieni… vieni oggi al caseificio che ti pago

- Pure

- Pure pure, non ti preccupare mi hanno sbloccato i bonifici quei cornuti delle banche

- Accidenti a loro… allora vengo?

- Vieni

- Vabbè, se lo dici tu

- Non ti preoccupare, vieni

- E vengo!

- Uèh ne hanno arrestato un altro, questo era vicino

- Del paese?

- Del paese!

- E che cosa ha fatto?

- Le solite cose, droga armi… gl'hanno sequestrato tutto quelli della finanza: casa mignotta e tre fuori-serie!

- Capirai, te le tirano in faccia, eppoi dicono che non c'è lavoro e dove cazzo li trovano i soldi?, cravattari di merda! noi a faticà come bestie in mezz'al campo e questi a fare gli sbruffoni con il sangue della povera gente…

- Ecché ci vuoi fare Carle'…

- Prenderli a mazzate ecco che cosa si dovrebbe fare, a mazzate sulla schiena come quando quelle stronze delle mi' vacche non si accontentano di mangiare il loro pasto e vorrebbero mangiare anche quello delle altre

- Ma chi le Gelsine?

- No loro son signore, lasciale stare che ti fanno il latte buono…

- Buono come quello della Gioia?

- Ma chi, tacco a spillo? siii quella manco è buona a camminà, un passo si e un altro ancora si torce le caviglie.

- …

- Le Prete, le Prete, vaccacce loro! Hanno sempre fame.

- E daglielo da mangià no!

- Sto' cazzo, bastonate anche loro ci vuole, bastonate e basta... ci vediamo dopo OdG.

- Ciao Carle'.

Occhi di Giada caricato il latte sul furgoncino guida di nuovo sulla strada che va' in paese: un piccolo borgo arroccato su una collina e circondato da mura medievali. Attraversa gli stessi campi fotovoltaici e con stizza alza il volume della radio, Jovanotti canta «piove guarda come piove guarda come viene giù ehhh...»

In un'altra roccaforte un giovane esce di casa, in spalla una chitarra classica con cassa in legno di mogano e un'A maiuscola cerchiata sopra, in testa un cappellino a visiera militare. Minuto scende una gradinata bianca, vecchia del calcare e del tufo all'origine della sua costruzione e attraversa un archetto basso che lo immette in un cunicolo, in fondo si apre un terrazzo, da li a vista d'occhio vede il mare. Un ultima occhiata si disse, un ultimo sguardo a quel lago piatto turchese, che in quelle ore fresche d'autunno si culla sotto una coperta di lino ricamata oro e disegni di sole nascente. Poi un pensiero - alba ad oriente e tramonto ad occidente e senza un dio permettendo - gli dà coraggio.

Era ora di andare, Zeitùn si sistema la chitarra, raccoglie la borsetta pesa di poche cose : una t-shirt girocollo rossa con la testa del Chè, l'altra tutta nera e quella verde con la stella all'altezza del cuore, le sue bandiere. Insieme alle magliette ci sono arrotolati due paia di calzini, qualche mutanda e un libricino di Colin Ward - L'ANARCHIA *un approccio essenziale*, il tutto poggia sopra un asciugamano morbido di cotone, il resto ce l'ha addosso. La direzione via terra è una sola, nord-ovest, altrimenti c'è la via del mare. Alla vista di una nave-cisterna in transito su quell'orizzonte marittimo tira due madonne: una santa e una puttana, quindi si gira e s'incammina verso la stazione. Un treno qualsiasi l'avrebbe portato lontano da li. Unica regola da rispettare, non pagare il biglietto.

Scendendo verso la piana, il rumore sommesso del traffico si arrampica sino alle orecchia come una gramigna, la superstrada si snoda sotto il suo passaggio – già a quest'ora, le strade piene e le terre abbandonate – poi il ricordo del nonno.

Il nonno prima di morire gli lasciò in eredità qualcosa di difficile da immaginare. E un giorno che le sue forze gli vennero meno del solito glielo annunciò, «Zeitùn... ricordami che ho qualcosa da darti, un eredità». Zeitùn si sforzava di cercare che cosa, non capiva. Il nonno non possedeva niente, era un povero contadino senza terra che viveva in una casetta di tre stanze insieme alla moglie. Non aveva mai posseduto niente e sarebbe morto cosi come ha sempre vissuto senza niente. Un giorno chiese alla nonna «ma che cos'ha da darmi il nonno?» e lei gli rispose, «non ti preoccupare al momento opportuno te lo dirà», ma egli non capiva «ma che cosa avrà mai da darmi che non tiene niente!» e quella donna anziana di poche parole gli proferì una manciata di sillabe e vocali in un dialetto quasi sconosciuto «se il nonno dice che tiene qualcosa per te, vuol dire che tiene qualcosa per te abbi fede».

La fede Zeitùn l'aveva persa da tempo. Quando un mattino il suo compagno d'infanzia Enrico, venne ritrovato morto massacrato di botte. Chi era stato, lo sapevano tutti e nel vedere la sua mano sempre libera e ancora sporca di sangue ricevere l'ostia dal parroco e quindi ricevere la sua benedizione, capì che giustizia chiesa e mano erano la stessa cosa, cioè l'anti-tesi della libertà, della pace e dell'amore. Pertanto la fede non esisteva. Quel giorno aveva capito che una gerarchia di soli uomini maschi aveva creato un mondo tutto loro, un mondo fatto di privilegi e d'ingiustizie. I suoi rappresentanti erano li difronte a lui: Fede, Legge e Terrore, tre torri issate per il proprio interesse, lo stemma di un mondo oscuro, un mondo per il quale si giurava un patto unico di potere e di dominazione totale sullo stesso; un accordo tacito, vestito a festa con i fiocchi e le coccarde della paura per il prostrarsi di grembiuli innocenti e da mantenere ignoranti.

Un'eredità che cosa grandiosa, si disse tra se il ragazzo, a diciotto anni. Per qualche giorno prese ad osservare il nonno con più attenzione, lo guardava fare le poche volte che si alzava dal letto, tanto tanto riuscisse a scorgere un segno, un nascondiglio. Di sicuro doveva trattarsi di un oggetto non troppo grande, sicuramente piccolo ma di gran valore. Un tipo di valore che non si misurava a suon di quattrini come spesso i suoi coetanei preferivano bramare. Accovacciati sulle transenne dei bar, come tanti soldatini della moda occhiali e gelatina a cianare di calcio e di giocatori immagine e portafoglio. Sperava solo che non fosse un anello o qualche collanina con la faccetta pulita di un angioletto. Da buon pescatore gl'avrebbe sicuramente lasciato una barca, ma un contadino senza terra che cosa poteva lasciargli?

Occhi di Giada ha scaricato il latte al laboratorio, dove il suo aiutante Pepe lo stava aspettando. Insieme lo versano nei vari tinelli, poi uno si occupa della pulizia dei bidoni mentre l'altro inizia a riscaldare il latte che diventerà pasta da mozzarella. I due uomini, accolgono la famiglia, accolgono i compagni, accolgono i clienti, accolgono tutti e tutti gli rendono visita volentieri. I Caseari ospitano nel loro tempio bianco la tradizione e la insegnano con la freschezza dei loro anni. Pepe e OdG sembrano due crociati ma senza croce. Al posto delle spade suonano la Lira e lo Spino, invece di partire alla conquista di nuove terre, rimangono in attesa, immobili per ricevere il mondo nel loro iceberg bianco e con la Stecca in mano ridono, scherzano e steccano insieme agl'altri le gioie semplici di quei luoghi; sono giochi d'acqua dove si scivola e ci si bagna e dove tra i vapori e il profumo denso del caglio, appaiono i miracoli che la natura e l'umanità ha da sempre condiviso: i nodini, la treccia, i tronchetti e la sfoglia di mozzarella, la burrata, la giuncata, la ricotta e lo stracchino, eppoi via via con il primo sale, il taleggio e la scamorza per finire con il signor caciocavallo, - ecco fatto ancora una volta - pensa Pepe mentre si asciuga le mani insensibili al calore, le mani di un mastro casaro che da vent'anni ripete le stesse eleganti e precise gesta; - ecco fatto, per amor della mia terra, ancora una volta - gorgheggia OdG, eccitato e di nuovo alla guida del suo fiorino attraverso i campi, dove per fortuna gli ulivi secolari sono ancora li carichi di ulive, testimoni di tutte le antiche tradizioni. Tronchi nodosi tappezzati da rami e foglioline verde-argento che vorresti abbracciare ed ascoltare quando lo scirocco li vezzeggia o quando sono punti dal tramontano; sono ninna nanne come mille voci oppure fiati di fantasmi come mille Uri. Cantastorie di un passato, di popoli che varcarono quella porta d'oriente. Di migranti accorsi e che ancora accorrono da tutto il bacino e di avventurieri scesi dalle scogliere nordiche, sempre via mare. Approdati li e rimasti poi, perché incantati da un cielo azzurro, un mare pulito e una terra fertile : ferro, acqua e pietra, il sale terrestre, dove donne tessono a mano i loro lutti incompresi di donna, in silenzio, sui telai, ancora. Campi infiniti oggi abbandonati, ma che con radice profonda, resistente e ricca di fantasia dichiara da sempre la sua forza e nonostante la follia dell'uomo.

- La follia dell'uomo può devastare, più di una guerra e di

tutti i genocidi commessi, la follia è devastante e chi la governa non ha ancora capito che un giorno si farà divorare vivo dalla stessa – . Di nuovo il ricordo del nonno, dell'eredità e una scorciatoia che fa scendere Zeitùn al pié della collina dove si stende la piana. In quella via nascosta tra la campagna, vede uno spaventapasseri e un cartello con su scritto :

LA TERRA INQUINATA
NOI LA COLTIVIAMO
VOI LA MANGERETE

- la follia devasta - .

Il ricordo del nonno, l'eredità e il racconto di un uomo che un giorno gli disse che sotto a quella terra, la sua terra rossa c'erano i rifiuti tossici «se quelli del nord hanno il campo libero per spedire al sud tutta la loro schifezza è perché c'è chi glielo permette» lo trasportano deciso verso la stazione e le domande silenziose ne pulsano l'andatura - perché questa terra viene violentata cosi? perché l'aria si tinge di grigio? questo muro tossico di acciaio e di carbone che si stende sino alla punta più estrema e condanna il tallone terrestre come un Achille trafitto dal veleno di una freccia... una tragedia per coloro che soffrono di leucemia, di tiroide e di tumori... e il mare perché la discarica della NATO? trivella trivella anche il golfo diventerà una pozza di letame sempre per quest'infame introito che da olio è diventato petrolio... perché? -.

Zeitùn avanza, il passo la rabbia e la tempia che pulsa. Il nonno glielo ha detto, la sua eredità parla chiaro.

Alla stazione, il caso che per Zeitùn significa solo formaggio, gli fa incontrare un compagno. OdG lo vede e leva il suo braccio snello in cenno di saluto, un po' sorpreso:

- Che stai facendo… te ne vai?

- Si

- E dove vai?

- Al nord.

- A fare cosa?

- Un viaggio.

- Cosi all'improvviso… e non dici niente a nessuno! Occhi neri e occhi color giada che si guardano. Te ne vai Z', ci lasci?

- …

- E quando torni? Occhi che si fanno lucidi. Che c'è Z', che ti stà succedendo?

- Mio nonno… il nonno è morto e prima di morire mi ha lasciato un eredità.

- E…?

- E… mi ha detto «Zeitùn ti lascio lu cielo lu mare e la terra abbine cura figlio mio…».

- …

- …

- E allora vai io intanto resto…

- Certo.

- Poi tornerai vero?

- Certo

- Certo… ohh mi raccomando alta la bandiera!

- Quale bandiera?

1/2

Sacha Biazzo

Synopsis

Il existe un monde parallèle et totalement vrai dans lequel les Illuminés contrôlent les hommes grâce au porno. Un groupe d'anarchistes catholiques qui fait des *raves parties* dans des lieux d'arnaques où un garçon essaie en vain d'écrire un récit. Un manuel de psychosémiologie appliquée à l'hacktivisme. Un mérou géant. Et mon ami Nino.

Ero seduto sul divano in soggiorno che cercavo di scrivere un racconto, erano giorni che ci provavo, ma ogni volta qualcuno rompeva i coglioni. Vivevo in una comune anarco-cattolica nel cuore della città, era un posto prestigioso, punto di riferimento di tutti gli hacktivist italiani. Il Capo della comune era accanto a me che leggeva un fumetto, una riscrittura abbastanza fedele della Genesi, solo che Dio era una donna gigante, alta quanto un monte. Era arrivato al diluvio universale e c'era Dio che inondava la Terra strizzandosi una tetta enorme con le manone rugose, - ogni pagina che girava mi faceva: *guarda che fica*! Avevo voglia di sputargli in faccia e sussurrargli di starsi zitto, ma sarebbe stato contro lo spirito comunitario, e non potevo cercare un posto più solitario, figuriamoci, in quel momento in casa c'erano due feste contemporaneamente. Una era una raccolta fondi per i compagni arrestati durante una manifestazione in difesa dei compagni arrestati durante una manifestazione in difesa dei compagni arrestati etc, mentre l'altra era un rave party, e si svolgeva in quella che doveva essere camera mia. "Stanno diventando di destra questi rave party, che dici?" Non c'era verso di convincerlo. Ripeteva sempre la stessa cosa: la gente crede che l'anarchia sia disordine, quando invece l'anarchia è ordine, è uno stato sublime dell'ordine. Macché, pensavo, l'anarchia è prima di tutto disordine, quel disordine più congeniale a sguazzare nel casino e a svicolare all'occorrenza per la realizzazione della propria individualità. Per questo gli artisti sono anarchici. Mica vogliono cambiare il mondo. Ah, se era per questo io ero l'ultimo degli anarchici. In quel momento stavo scrivendo un racconto sul potere, anzi contro il potere, erano giorni che ci provavo, con tutto il bordello intorno. Con questo racconto volevo dimostrare come il linguaggio fosse la prima e più profonda forma di protesta nei confronti del potere. Se il potere ad esempio utilizzava un linguaggio altamente comunicativo, pubblicitario, il linguaggio della letteratura non poteva che essere l'opposto, perché la letteratura aveva il dovere di parlare per forza una lingua antitetica rispetto a quella dominante. Forse questa era anche la tesi dei surrealisti. Dovevo controllare su Wikipedia. In ogni caso, volevo che fosse la tesi del mio racconto, per cui iniziai a scrivere in questo modo: *ajfdkascxkk hwdkk saaaa djdjdj dsjjn isnjxz ods sbrù sbrù sbbbrùùùùù*. Sentivo di stare centrando in pieno l'obiettivo, ne ero convinto, quando il cellulare, logicamente, prese di nuovo a vibrare sul plastificato d'ebano del tavolino. Il display diceva: Antonino Bonventre.

Suor Chiara entrò nella mia stanza mentre il Capo cercava ancora di spiegarle i risvolti affettuosi, per non dire piacevoli e persino religiosi, dell'accoppiarsi con una cernia di oltre 250 chili. Vede Sorella, nel suo caso si tratterebbe di un donarsi completo a Dio, la bestia è qui in quanto tramite demoniaco, e lei ne rappresenta la sua salvazione, sublimando il peccato in immediata sincronica purificazione il matrimonio che ne esce è soltanto di spirito, e, una volta debellato il tramite, l'umanità si salverà attraverso questa visione, funzionerà come una forma estrema di catarsi. All'ingresso della suora, i compagni che avevano allestito il set - in camera mia - si impietrirono a fissare la bellezza superba e mistica della giovane suora. Nel centro della stanza il pesce enorme languiva nella piscina trasparente spandendo bagliori abissali su tutte le pareti. La pelle marrone rugosa scura, gli occhi spaventati, la bocca infinita e delusa, sembrava stanco, centenario, eppure ancora tonico, forte, di una forza strutturale, da rimorchio, come un vecchio tozzo muratore. Tutt'intorno treppiedi con telecamere automatiche pronte a riprendere. Il Capo si affrettò a togliere la giacca alla Suora e a posizionarsi dietro il monitor da cui controllava le varie inquadrature. La scena le era già stata spiegata un centinaio di volte. Ora si trattava solo di girare. Suor Chiara si tolse il velo nero che le copriva il capo, ne uscirono lunghi capelli inchiostro, poi si sfilò la tunica, con una leggerezza e una grazia come se negli ultimi vent'anni della sua giovane vita fosse stata sul set di un film porno e non in un eremo sulle desolate vette di Cerbaiolo. Il suo corpo era perfetto, biancheggiava veramente come a risplendere della luce di Dio, intimamente avvolto ed attratto da quella luce primaria. Aiutata da due compagni salì la scaletta di ferro fino in cima e intinse un piedino nella vasca ad assaggiare la densità dell'acqua nella quale si aggirava l'ombra inquietante del pesce. *Azione*! - gridò il Capo. La cernia sfuggiva qualsiasi contatto, non voleva saperne di essere il protagonista di quel filmino porno-progresso. La suora si agitava cercando di acchiapparla in qualche modo, si muoveva schizzando acqua per tutta la stanza. Era una lotta ad armi impari, poi alla fine Suor Chiara si avvinghiò alle branchie del pesce quasi stremato, si sedette a cavalcioni e lo domò. Iniziò a strusciarsi sul dorso spinoso, sinuosamente, e l'acqua si tinse pian piano di rosso.

Tra tutti i miei amici che non stanno su Facebook, Antonino Bonventre è l'unico che non ha neanche il cellulare, per questo mi sono meravigliato di una chiamata da qualcuno che nella rubrica era salvato proprio col suo nome. Vado a rispondere e sento la sua voce. Parla con un tono bassissimo, farfugliando le parole, di alcune accenna solo le prime sillabe, altre le ripete centinaia di volte. È proprio lui. "Voglio che diventi il mio sponsor", - mi dice come se sapessi di cosa sta parlando - "sei cattolico, sei paziente, e hai un sacco di tempo, sei perfetto". Antonino Bonventre è un mio amico pazzo, e tra i miei amici pazzi è l'unico veramente pazzo. Non so bene da quand'è che sia pazzo, di sicuro da due anni, ma forse lo è sempre stato, anche se da piccoli, i pazzi, è più difficile distinguerli. Andando a cercare dei segni premonitori però posso dire che alle medie violentò una ragazzina, o forse non la violentò, ci provò soltanto a violentarla, nella memoria ho l'immagine sfocata di lui che le alza la gonnellina fino alle ascelle, non mi ricordo bene, ma di sicuro c'è che al liceo se ne veniva in classe vestito da cosplayer, mi ricordo perfettamente queste interrogazioni di matematica ad un Dart Fener col respiro sempre più affannato e nessuno che rideva, - solo io lo trovavo surreale, - anzi mi accusavano di non capire la valenza politica del gesto. Ero io che ero chiuso mentalmente, rozzo e ignorante e di provincia. Una volta mi diedero anche del razzista. Così iniziai ad avallare qualsiasi suo comportamento. Persino quella volta che venne a chiedermi in prestito la macchina per andarsi ad arruolare nella camorra, "sì Nino, tieni le chiavi". Poi lo arrestarono prima che ci riuscisse, ma passò lo stesso due anni a vendere compact disc al porto di Napoli con un cartone con su scritto: "qui vendesi cd funzionanti". Quando tornò, la mia macchina non c'era più, - era chiaro - in cambio mi portò milleduecento cd di neomelodici. Non ne funzionava uno. Per un po' ci perdemmo di vista fino a quella telefonata. "Come cos'è uno sponsor? Senti vediamoci direttamente all'oratorio dietro la chiesa, stasera c'è la prima riunione, ti aspetto lì". Wikipedia: *uno sponsor, dal latino garante, è la figura di riferimento per un alcolista anonimo, nel tempo diventa la sua guida attraverso l'ascolto e il sostegno.* Ecco, tutto tornava, tranne il: *lo sponsor è un ex alcolista, sobrio da molti anni.* "Non fa niente che non sei un ex alcolista, è il concetto di guida che ci interessa e poi neanche io sono un alcolista, mi serviva un modo per farti entrare qua".

Il Capo è capo oltre che per diritto divino anche perché mantiene i contatti con uno svizzero che fa parte di Anonymous, il più importante gruppo di hacktivist del mondo, un gruppo che, caricando un jpeg su un forum, in poche ore potrebbe far cadere governi e distruggere multinazionali - e qualche volta l'ha fatto. Il Capo per la precisione si è distinto per meriti bellici nella campagna contro McKay Hatch, un bambino americano che per farsi il bello con i genitori aveva fatto un'associazione anti-imprecazioni con tanto di sito web contro il turpiloquio: *nocussing.com.* Da tre anni il Capo ancora gli fa recapitare pizze e VHS pornografici, anche se nel frattempo McKay e la famiglia sono emigrati in un altro stato. La comunità italiana di Anonymous (di cui noi siamo solo un gruppo di supporto logistico) finora non si è mai distinta veramente, si è limitata a seguire le decisioni che venivano prese sulle imageboard australiane, o canadesi. Gli australiani erano di gran lunga i migliori, erano i più temuti dopo l'

OpenFacebook, l'operazione in cui avevano oscurato Facebook a costretto l'azienda ad approvare un nuovo contratto di iscrizione, per cui la netiquette veniva redatta da un'assemblea votata dagli iscritti. Gli USA, invece, non contavano più niente sullo scenario internazionale, erano pieni di infiltrati, dentro il loro gruppo erano stati trovati membri di Scientology che si facevano autoattacchi per poi risolverli e venire promossi all'interno della Chiesa. Nessuno si fidava più a seguire le loro proposte, per questo cercavano disperatamente alleati, e, come era logico, dopo che la Spagna e il Brasile avevano aderito in massa alla nostra proposta, gli Usa promettevano di venirci dietro. Era la grande occasione per riscattare il gruppo Anonymous italiano. Avevamo consultato decine di compagni psicologi ed esperti di persuasione visiva prima di girare il video. Il giorno del lancio, tutti i siti e i motori di ricerca pornografici sarebbero stati messi fuori uso e chiunque avesse cercato di collegarcisi sarebbe stato indirizzato al nostro video, e da lì sarebbe iniziata la purificazione. L'assalto era previsto per il 20/12/2012, nome utente: Webdrome, tag: Gloria e vita alla nuova carne.

Nel mezzo del cammin della mia vita, io, Pino Scannamonaca, mi ritrovai in una gruppo di auto-aiuto per pornodipendenti. In realtà non c'erano solo pornodipendenti, ma tutta una consorteria di specie diverse, c'erano gli SLAA, - che il poeta vorrebbe malati d'amore, ma Wikipedia dice *sex addicted*, - gli internet-dipendenti, qualche maniaco vero, e persino un alcolista anonimo - si chiamava: Antonino Bonventre. Era un problema di orari, capitava che bisognava accontentarsi del gruppo che si trovava, tanto è auto-aiuto, soprattutto auto. Non vedevo Nino da anni, ed ora era là con la sua tipica espressione da Trainspotting, non di un attore in particolare, ma di tutti e cinque messi insieme. Gli occhi scantati e i dentoni grandi da coniglio. Gli amici alle volte sono come le mamme, non te li scegli, ti piombano in testa e quando te ne accorgi è troppo tardi. La riunione del gruppo si svolgeva in questo oratorio, in uno scantinato illuminatissimo al neon. "Devi vedere che roba c'è qui". C'era una guardia all'entrata, controllò prima Nino, poi registrò me come suo sponsor e ci fece entrare. Dentro v'erano decine di panche per più di un centinaio di persone, a prima vista tutti cittadini modello, ma poi parlavano. Uno raccontò di non essere uscito di casa per più di due mesi per guardare siti porno, alla fine era stato costretto a uscire perché il cinese a domicilio aveva chiuso. Un altro che non aveva portato i bambini a scuola per due settimane. C'era quello che era stato licenziato perché sorpreso ad esibirsi in webcam vestito da donna, con l'intimo della madre. La ragazza che col suo partner era frigida ma appena rimaneva da sola era capace di masturbarsi anche 20 volte di seguito di fronte a film bdsm, fino a perdere completamente la sensibilità dell'organo. Quello che si era tagliato i genitali in video. E quello che era andato a vivere nel deserto, sull'appennino lucano, - questo era Nino. Wikipedia: *le nuove dipendenze nate dopo la diffusione di internet non hanno mai ricevuto degli studi specifici e sono trattate spesso con sufficienza dagli stessi psicoterapeuti.* "Lascia perdere Wikipedia. Qui ne arrivano a centinaia ogni giorno, per questo è un casino con gli orari. E si stima che ogni anno gli internet-dipendenti raddoppino. Ci sono milioni e milioni di casi registrati nel mondo. Immagina quelli non registrati. Se possono tenerci incollati davanti a un computer, immagina cosa possono farci, cosa possono obbligarci a pensare. Cosa possono indurci a credere attraverso la visione di un video. Considera che un video porno di successo viene visto anche da cento milioni di persone. È un esercito di potenziali soggiogati. Fra poco saremo tutti controllati". Sì, Antonino Bonventre restava ancora il mio amico pazzo.

Dovevo tornare a fare i conti con me, una buona fottuta volta per tutte. O altrimenti? O altrimenti niente. Sarei stato sommerso, prima travolto, poi schiantato contro una macchina o un qualsiasi altro detrito portato via dalla piena, dalla pienezza, e infine sepolto vivo, nel fango, e neanche un. Ricordo? La quantità, ecco un bel problema da cui partire. Ma prima. "Ti assicuro che sarà d'accordo, farebbe tutto pur di aiutare quelle persone. Pensa, è stata lei a farmi entrare in quel gruppo e farmi spacciare per alcolista. Voleva che li aiutassi. Ma senza di te non ce l'avrei potuta fare". L'eremo di Cerbaiolo era come lo descrivevano, caduto a pezzi. Erano ore che percorrevamo quel sentiero in mezzo al bosco. Suor Chiara, la Sorella sorella di Nino, era l'unica ragazza vergine che conoscevamo. Wikipedia: *secondo il prof. Brian Creley si può abbattere lo stato di eccitazione e installare un effetto anti-dopaminico nel video-dipendente semplicemente sottoponendolo ad immagini del simbolismo mistico, come il sacrificio di una vergine a Satana, che secondo alcuni culti misterici richiamerebbe le forze del bene a vincere nello spettatore.* "Ora voglio vedere come glielo spieghi". "Tu non preoccuparti, pensa a farlo arrivare a destinazione, tranne a me, io non lo voglio vedere". "Così sarai l'unico ad essere un potenziale infetto, sempre che non lo sia già". Ecco, forse era questo il motivo per cui aveva tanto a cuore questa vicenda.

Se gli indiani avessero avuto fucili non ci saremmo messi tanto facilmente l'anima in pace concedendo a loro la vittoria morale, e a noi l'usufrutto delle terre. La superiorità spirituale è una consolazione troppo magra in una guerra impari, - questo pensavo mentre aspettavamo che *Forza Chiara da Cerbaiolo* finisse di caricare. No, non c'è alcun modo per distruggere il potere che utilizzare gli stessi mezzi del potere, senza buddhismi o pretismi. E i surrealisti, pensai? Il loro antagonismo linguistico. Forse non serviva a niente cercare di adoperare strumenti antitetici. Anzi. Ma poi antitetici rispetto a chi? Che lingua parlava veramente il potere? Dico quello vero, quello occulto. Ero di nuovo seduto sul divano, e in tutto quel casino continuavo a concentrarmi sul mio racconto. *Ajfdkascxkk hwdkk saaaa djdjdj dsjjn isnjxz ods sbrù sbrù sbbbrùùùùù,* - e se questa fosse un'altra lingua? Meglio lasciare perdere. Correvo il rischio di stare parlando la lingua di qualche altro potere. Magari di quello degli Illuminati, di quelli che comandano davvero: i rettiliani. Non solo, ma poi, chissà che gli stavo dicendo? Magari che erano brutti, verdi e com'erano fatti. No, non volevo trovarmi, come era successo a molti, a finire i miei giorni nelle prigioni all'interno della cavità della terra cava. Ecco, la situazione era diventata leggermente più grande del previsto. Ora, vabbene tutto, ma la rivoluzione con i pornodipendenti, i masturbatori compulsivi, questo non me lo sarei mai immaginato, io, Pino Scannamonaca, con la mia piccola esistenza che non poteva certo iscriversi a qualche livello simbolico di guida spirituale per chicchessia, eppure quegli strani, vaghi sogni senza importanza che avevano costellato le mie fantasie, iniziavano sempre più a prendere vita autonoma, ad esprimersi, a trovare consensi e seguaci, senza che ci potessi fare niente. Ed eccolo lì, Pino Scannamonaca, lanciato armato contro il potere e l'ingiustizia. Potevo raccontare allora quella storia. Quella storia in cui tutti sembrano pazzi, ma poi verso la fine, proprio all'ultimo rigo, sembra che l'unico pazzo è chi stava raccontando quella storia. Oppure potevo raccontare una storia e poi spiegarla alla fine, e dire che il vero post-moderno non è la commistione di generi, quello si chiamava già barocco, ma il commentarsi l'opera all'interno dell'opera stessa. Marò e quanto sono intelligente. E se fossi anch'io un illuminato? Avrei trovato sicuramente una risposta se il cellulare, logicamente, non avesse preso di nuovo a vibrare sul plastificato d'ebano del tavolino, mentre il Capo continuava a ripetermi: “Guarda che figa, oh!”.

Biographies

Benedetta Torchia signe *Sonqua*. En 5 lignes ? Vite dit : «Née et en cours d'ouvrage». C'est, en y pensant bien, une formule assez commode parce qu'elle s'ajourne d'elle-même et quand elle mourra, elle n'aura pas à s'en occuper. Elle pensait que c'était la biographie la plus courte du monde mais «un brave homme» l'a roulée et depuis, par coquetterie, elle tient à ajouter qu'elle est née à Rome en 1974 et que là, avec quelques interruptions, elle s'y est instruite sans devenir cultivée, elle y a fait deux enfants, elle y vit, travaille et que, de là, parfois elle part. En fait, ça fait plus de 5 lignes.

Bob Sarti was a mainstream media journalist in Vancouver from the 1960s to the '90s, and also an activist and co-founder of anarchist publications *Open Road* and *B.C. Blackout*. His partly biographical musical play, *Yippies In Love - The Twittoir*, was produced in Vancouver in 2011. He lives on Hornby Island, B.C.

Bruno Masse is a Montreal-based author. Better known for environmental activism and research, Bruno moonlights as a wretched novelist, playwright and poet, heavily influenced, if not possessed by themes of horror, noir, cyberpunk and erotica. Author of *l'Aube Noire*, *Valacchia*, *The Noxious and the Daemon Flower* and *The Malice Cycle* trilogy, member of the Anarchist Writers Bloc and the Anarchistes Anonymes collectives and annual contributor to the International Anarchist Theatre Festival of Montreal. www.brunomasse.com

Carmen Zinno, aspirante plante, se satisfait de faire l'anthropologue de terre. Elle récolte les paroles et chasse les promesses dans les « forêts des sens accumulés » des discours humains. Dans le tiroir : *Anarchia di un compromesso*, *Per una profanazione della sacralità museale*, *Quando hai girato la tua casa in tondo hai girato mezzo mondo* et *Il dito e la luna* qui en est sorti et se trouve dans ce recueil. Elle écrit pour *casadellemetamorfosi* et *Cusa.org*. Elle vit en essayant de trouver des solutions, ne se reconnaissant jamais totalement dans celles qui précèdent.

Danny Vivaelpaca is the editor of the periodical anarchist journal *back2front* and has been involved with cottage industry anarchist publishing and activism for over 30 years.

David Cunningham is settled in the Badlands of East Vancouver; an antagonist involved in agit-theatre, he writes from momentofinsurrection.wordpress.com

Edoardo Olmi réside à Rome mais il est né en terre toscane avec l'oreillette droite à la Naples bakouninienne et démoniaque, et le ventricule gauche à l'Espagne de 1936. Pendant un quart de siècle, il a tout fait pour éviter de devenir écrivain. Essayant de jouer dans l'unique prototype de groupe de ska-punk avec deux basses jamais vues, écrivant pour des revues auto produites jamais lues et darwiniènement disparues, traînant à l'ombre de la mention « étudiant en Histoire contemporaine ». Malheureusement en 2010 il a dû se rendre, en publiant un premier recueil de poésie, mais par les temps qui courent, il nourrit encore l'espoir d'y arriver.

Fabiagio Salerno est né à Chiaromonte. Il a 24 ans, un tatouage et fait des projets pour le futur.

Fabrizio Gabrielli vit au bord de la mer, près de Rome, à Civitavecchia, où il écrit également des livres. Ses constantes sont les contrebasses, les petits cigares du peuple, Cortàzar, les bières artisanales, les 4-3-3 et le «balompié», qui signifie en fait football (soccer), mais en espagnol c'est beaucoup plus fascinant. Il est directeur éditorial de *Prospektiva*, qui – selon certains – est une sorte de *Mc Sweeney* italique.

Feral Sage is an anarchist, feminist, cognitive dissident, renegade researcher and writer. She can be seen wandering (but not lost) on the margins of capitalist society, where she makes her home among those submerged discourses and excluded perspectives that prefigure another possible world. She is currently writing a novel and a memoir.
www.feralsage.org

Gianluca Garrapa est mort en 1975 et depuis ce jour il écrit continuellement même sans utiliser les mots ; pendant son temps libre il aspire à devenir comique, conseiller et speaker psychoradiophonique, il ne dédaigne pas la peinture, la description et les situations pantacréatives et absurdes en général. il aime la vie et toutes ses formes. si tu le croises dans la rue, il ressemble à une célébrité. actuellement, il se fait pousser la barbe. qui est scandaleusement poivre et sel. plus sel que poivre. d'ici 10 ans, il aura probablement 46 ans.

Gio' Notte poursuit son vagabondage. Après une parenthèse canadienne, il est à nouveau en Europe. Entre la France et l'Italie, il prépare son prochain voyage vers les îles Polynésiennes. Emporté par le vent, il s'en va et de temps en temps il retourne. *Terra Straniera,* roman sans éditeur, narre où et quand l'altération a commencé, tandis que *Projet Vita* et *UBU X*, écritures théâtrales, politisent son parcours, *Quête* conte un futur apocalyptique. Avec *L'eredità* il écrit un présent incertain.

Guillaume Bouchard Labonté en est à sa deuxième participation au recueil *Subversions*. Dans ses textes littéraires, il aime mettre en scène l'ironie et la désobéissance lucide ou innocente de gens sans histoire.

Isabelle Baez est née en France de parents espagnols et vit à Montréal depuis 20 ans. Elle est chargée de cours à l'UQAM et collabore régulièrement au journal satirique *Le Couac*. Les droits des migrants, les certificats de sécurité et la brutalité policière sont ses sujets préférés. Elle écrit de la poésie et des nouvelles de fiction. À l'automne 2011, elle a fait paraître aux éditions Le Quartanier *Maté*, son premier roman.

Jamie Heckert is an amateur herbalist, yoga instructor in training, activist and scholar. Better known for his essays on queer theory and anarchist ethics, this is his first published short story. He currently lives on the south coast of England where he listens, organises and invites the impossible.

Jim Miller is the author of *Flash* and *Drift*, both novels, co-author of the radical history of *San Diego Under the Perfect Sun: The San Diego Tourists Never See* (with Mike Davis and Kelly Mayhew) and a cultural studies book on working class sports fandom, *Better to Reign in Hell: Inside the Raiders Fan Empire* (with Kelly Mayhew). He is also the editor of *Sunshine/Noir: Writing from San Diego and Tijuana* and *Democracy in Education*. He has published poetry, fiction, and non-fiction in a wide range of journals and other publications, and writes a weekly column for the *OB Rag* (obrag.org).

Karine Rosso est l'auteure d'un recueil de nouvelles intitulé *Histoires sans dieu*, publié en 2011 aux éditions de La Grenouillère. Elle a participé à la scénarisation de plusieurs documentaires sur les réalités sociales latino-américaines et co-réalisé le film *Anarchroniques* (2012), qui s'intéresse à la mouvance libertaire au Québec. Elle travaille actuellement à la production d'un documentaire sur le Centre social autogéré de Montréal.

Kayleigh Graham habite, étudie et survit dans la métropole de Montréal. Informaticienne de formation, elle a un penchant pour tout ce qui est sombre et macabre et essaie d'explorer ces thèmes par le biais de la création artistique. Photographe amateure depuis quelques années, elle se lance dans la littérature avec son premier récit, *Cogito Ergo Doleo*.

Ken Simpson. Anarchist punk writer, poet, musician, songwriter and doctor, all part-time. Made in Scotland, living in Wellington, New Zealand. Singer/guitarist in old-school political punk band *Dead Vicious* (www.myspace.com/deadvicious). Studied English literature at Victoria University of Wellington and medicine at University of Auckland. Author of *Some Justice*, a collection of political poems and lyrics published by Rebel Press (www.rebelpress.org.nz/publications/book/17).

Marhi-Aive est diplômée du Cégep de Sherbrooke en littérature, mais sa généreuse expérience de la vie se traduit chez elle par une volonté exceptionnelle de passer par-dessus, si ce n'est pas carrément foncer droit devant les soumissions multiples que nous imposent les lois du marché et la domination masculine, qu'elles soient de l'ordre de l'éducation, du travail ou de la sexualité. Elle a la conviction que ce ne sont pas les certificats, les titres ni les médailles qui font de nous des êtres dignes d'amour et de confiance, mais notre capacité à vivre en réciprocité avec nos désirs et nos combats. Son écriture du corps et de la chair montre un endroit où nous sommes libres de cheminer comme nous l'entendons à travers notre rage.

Myriam Lartrem. Les mots sont les alliés du volubile possible; Une pensée qui la suit comme ses cahiers dans toutes les formes d'art qu'elle explore. *Aux impulsions qui s'acharnent*, sa première nouvelle terminée, met le corps à mots. Le possible ne trouvant ni début ni fin, elle pose le point final comme un appel à la prochaine.

Norman Nawrocki is a Montreal cabaret artist, violinist, actor, educator, and author of a collection of short stories, *The Anarchist & The Devil Do Cabaret*, poetry (*Breakfast for Anarchists, Lunch for Insurgents, Dinner for Dissidents, Nightcap for Nihilists, Rebel Moon*, etc.) and essays about the arts and politics. He gives 'Creative Resistance' workshops everywhere and teaches part-time at Concordia University. www.nothingness.org/music/rhythm

Peter Gelderloos is an anarchist from Virginia, living in Barcelona for the last five years. He is the author of several nonfiction books, including *How Nonviolence Protects the State* and *Anarchy Works,* as well as the short story collection *Sousa in the Echo Chamber.* togettotheotherside.org

Raphaël Hubert tend à agir en ce qui lie les dimensions politiques et esthétiques de l'émancipation, tant sur les plans théoriques, activistes, qu'artistiques. Au-delà des publications de nouvelles, notamment dans le premier tome de *Subversions*, il a écrit un recueil de poésie (*Brèches*, à paraître) et quelques scénarios. Une de ses pièces de théâtre, *Par ailleurs*, a été présentée lors du Festival international de théâtre anarchiste de Montréal en 2011, et paraîtra dans un recueil collectif aux éditions Rodrigol. Il décline également ses penchants littéraires à travers sa participation au groupe rock Des Ébauches et contribue à divers collectifs autonomes de réflexion et d'action radicales.

Sacha Biazzo, enfant, il voulait être un super héros et devenir Superman, mais comme il n'a pas réussi à voler, il a choisi d'être journaliste comme Clark Kent.

Sandra Jeppesen is a zine-maker, writer and general troublemaker. Her first novel, *Kiss Painting* (Gutter Press 2003) is an anarchapunk chaos featuring nomads, squatters, logging blockades, housing collectives, art, polyamoury and lots of kissing. She is currently working on a novel called *Riot Zone*, and building a program in Media Studies for Social Change at Lakehead University Orillia.

Yannie vit à Montréal. Elle essaie de consacrer son temps à apprendre, jouer de la musique, écrire et… arrêter de paniquer pour rien.

Youri Andreïevitch, naviguant entre amour et rage, rêve et réalité, voue sa plume à peindre son désir de liberté et ce par tous les mots nécessaires. Pour lui, un écrivain ne doit pas dériver au sens mouvant de la vie des possibles : il doit y plonger ses avirons. C'est pourquoi il a rejoint ce qu'il nomme le «front culturel»; bien que l'artiste s'adresse d'abord et avant tout à soi-même, à la part collective et anonyme qui l'habite, c'est tout un monde qu'il projette. La scène c'est le réel. Or, comment ne pas voir dans une telle frénésie créative sa part de destruction ? Dans la guerre sociale en cours, il faut oser détruire pour arriver à créer, pense-t-il.

Table des matières

Anarchist short stories

Nouvelles anarchistes

SUBVERSIONS

Bloc des auteur-e-s anarchistes

Anarchist Writers Bloc

Préface de / by Derrick Jensen & Monique Surel-Tupin

SUBVERSIONS VOL. I
Recueil de nouvelles anarchistes
Anarchist short stories
2011, 115 pages

"A great idea for a collection of stories that exists as an accomplished fact...Pulled together with lots of hard work and inspiration...The world is a better place for it."

- Penelope Rosemont, The Fifth Estate

"La pensée autoritaire, à la faveur de trois guerres et grâce à la destruction physique d'une élite de révoltés à submergé cette tradition libertaire. Mais cette pauvre victoire est provisoire, le combat dure toujours.

Camus avait raison. Le combat dure toujours, et ce livre en témoigne."

- Monique Surel-Tupin

Ex-pressions

Extraits des cabarets du Bloc des auteur-e-s anarchistes

Excerpts of the Anarchist Writers Bloc Cabarets

2010-2011

EX-PRESSIONS
Extraits des cabarets 2010-2011
Excerpts of the 2010-2011 cabarets
Zine, 2012, 48pages.

Le Bloc des auteur-e-s anarchistes organise depuis septembre 2010 des cabarets à la bibliothèque libertaire DIRA. Ces cabarets contribuent à vitaliser le mouvement anarchiste montréalais, trop souvent axé sur la théorie et l'action directe, en offrant un espace de création et de partage d'expériences pour tous et toutes. Poésie, théâtre, performance, humour, musique, mime, etc. : les Cabarets 2010-2011 du Bloc furent le lieu d'envolées passionnées, de révoltes poignantes et de critiques parfois tragiques, parfois comiques. Ce premier zine constitue en quelque sorte une tentative de capter ces moments d'une rare intensité, une infime trace marquant le passage de ces paroles et de ces gestes dans nos vies.

The Anarchist Writers Bloc has been organizing anarchist cabarets at the DIRA, the anarchist library, since September 2010. These cabarets serve to stimulate the Montreal anarchist community, which is too often focused on theory and direct action, by offering a space where everyone can share and create. Poetry, theatre, performance, comedy, music, mimes, etc... The cabarets in 2010-2011 saw a plethora of artists from all disciplines and all levels of experience give their take on what it means to rise up. This first zine attempts to capture the intensity of those moments and give them new life.

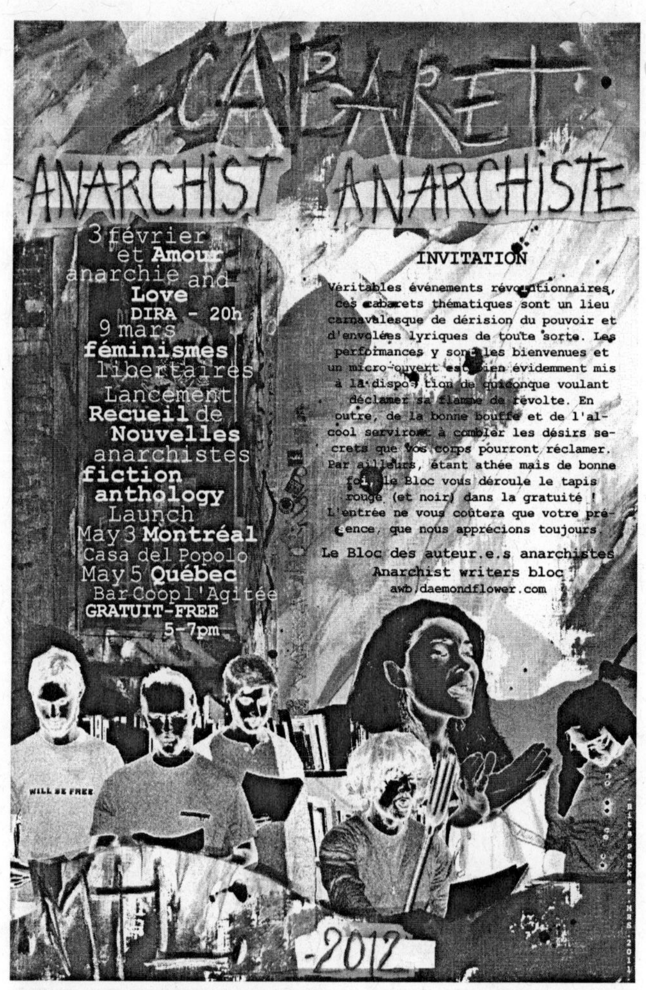

Affiche couleur/Colour poster
Anarchist cabarets anarchistes
Par/by Rita Parker

Cet ouvrage a été imprimé en avril 2012 sur les presses des ateliers de Marquis Imprimeur pour le compte du Bloc des auteur-e-s anarchistes.

Page couverture : Rita Parker
Mise en page : Myriam Larouche Tremblay
Révision : Virginie Gendron-Blais

Bloc des auteur-e-s anarchistes
a/s L'Insoumise
2033, boul St-Laurent
Montréal
Québec, Canada
H2X 2T3

www.awb.daemonflower.com
awb@daemonflower.com

Diffusion et distribution au Canada
par le Bloc des auteur-e-s anarchistes.

Diffusion et distribution aux États-Unis
et en Europe par AK Press.

Imprimé au Québec
sur papier recyclé 100% postconsommation